LES AÉROSTATS

Amélie Nothomb est née au Japon en 1967. Depuis son premier roman, *Hygiène de l'assassin*, elle s'est imposée comme une écrivaine singulière enchaînant les succès en librairie et les récompenses littéraires, se renouvelant sans cesse. En 1999, elle reçoit le Grand prix de l'Académie française pour *Stupeur et tremblements*, et en 2008 le Grand prix Giono pour l'ensemble de son œuvre. Ses romans sont traduits en quarante langues. En 2016, elle devient membre de l'Académie royale de Belgique au fauteuil de Simon Leys.

Paru au Livre de Poche :

ACIDE SULFURIQUE
ANTÉCHRISTA
ATTENTAT
BARBE BLEUE
BIOGRAPHIE DE LA FAIM
LES CATILINAIRES
LES COMBUSTIBLES
COSMÉTIQUE DE L'ENNEMI
LE CRIME DU COMTE NEVILLE
LE FAIT DU PRINCE
FRAPPE-TOI LE CŒUR
HYGIÈNE DE L'ASSASSIN
LE JAPON D'AMÉLIE NOTHOMB (« Majuscules »)
JOURNAL D'HIRONDELLE
MERCURE
MÉTAPHYSIQUE DES TUBES
NI D'ÈVE NI D'ADAM
LA NOSTALGIE HEUREUSE
PÉPLUM
PÉTRONILLE
LES PRÉNOMS ÉPICÈNES
RIQUET À LA HOUPPE
ROBERT DES NOMS PROPRES
LE SABOTAGE AMOUREUX
SOIF
STUPEUR ET TREMBLEMENTS
TUER LE PÈRE
UNE FORME DE VIE
LE VOYAGE D'HIVER

AMÉLIE NOTHOMB

Les Aérostats

ROMAN

ALBIN MICHEL

ISBN : 978-2-253-93687-9 – 1ʳᵉ publication LGF

Pour Aurianne

Je ne savais pas encore que Donate appartenait à la catégorie des gens perpétuellement offensés. Ses reproches me plongeaient dans la honte.

— On ne laisse pas une salle de bains dans un tel état, me dit-elle.

— Pardon ! Qu'ai-je fait ?

— Je n'ai touché à rien. Il faut que tu te rendes compte par toi-même.

J'allai voir. Ni flaque d'eau sur le sol, ni cheveux dans la bonde.

— Je ne comprends pas.

Elle me rejoignit en soupirant.

— Tu n'as pas étiré le rideau de douche. Comment veux-tu qu'il sèche en accordéon ?

— Ah oui.

— Et tu n'as pas refermé le berlingot de shampoing.

— Mais c'est le mien.

— Et alors ?

Je refermai ce que pour ma part je n'appelais pas le berlingot mais tout simplement le shampoing. Manifestement, je manquais de savoir-vivre.

Donate m'apprendrait. Je n'avais que dix-neuf ans. Elle en avait vingt-deux. J'étais à l'âge où ce genre de différence paraît encore significatif.

Peu à peu, je m'aperçus qu'elle se conduisait ainsi avec la plupart des gens. Au téléphone, je l'entendais rétorquer à ses interlocuteurs :

— Trouvez-vous normal de me parler sur ce ton ?

Ou :

— Je n'accepte pas que l'on me traite de cette manière.

Elle raccrochait. Je demandais ce qui s'était passé.

— De quel droit écoutes-tu mes conversations téléphoniques ?

— Je n'écoutais pas, j'ai entendu.

La première fois que je me servis de la machine à laver, ce fut le drame.

— Ange ! appela-t-elle.

J'arrivai, pressentant le pire.

— Qu'est-ce que c'est que ça ? interrogea-t-elle en montrant le linge que j'avais suspendu où je le pouvais.

— J'ai fait une machine.

— On n'est pas à Naples, ici. Mets ton linge ailleurs.

— Où ? On n'a pas de séchoir.

— Et alors ? Est-ce que j'étends mes affaires n'importe où, moi ?

— Tu le peux.

— Ce n'est pas la question. Cela n'a aucune tenue, voyons. Et je te rappelle que tu es chez moi.

— Je paie ma colocation, non ?

— Ah. Donc toi, sous prétexte que tu paies, tu as tous les droits ?

— Sérieusement, que suis-je censée faire de mon linge mouillé ?

— Il y a une laverie au coin de la rue. Avec des séchoirs.

J'enregistrai l'information, bien décidée à ne plus jamais me servir de son lave-linge.

On arriva bientôt dans la quatrième dimension.

— Peux-tu m'expliquer pourquoi tu as déplacé mes courgettes.

— Je n'ai pas déplacé tes courgettes.

— Ne nie pas !

Ce « Ne nie pas ! » me fit éclater de rire.

— Il n'y a pas de quoi rigoler. Viens voir.

Dans le réfrigérateur, elle me montra les courgettes, à gauche de mes brocolis.

— Ah oui, dis-je. J'ai dû les déplacer pour entreposer mes brocolis.

— Tu vois ! s'écria-t-elle d'une voix triomphante.

— Il fallait bien que je mette mes brocolis quelque part.

— Pas dans mon tiroir à légumes !

— Il n'y en a pas d'autre.

— Le tiroir à légumes, ça m'appartient. Ne l'ouvre pas.

— Pourquoi ? demandai-je stupidement.

— C'est ma pudeur.

Je retournai dans ma chambre pour cacher l'hilarité que m'inspirait son propos. Cela dit, elle avait raison : il n'y avait pas de quoi rigoler. Donate était chiante au dernier degré et je n'avais pas le choix : la colocation était de loin la plus avantageuse que j'avais trouvée. Mes parents habitaient trop loin de Bruxelles pour que je puisse faire la navette.

L'année précédente, j'avais occupé une piaule de l'immeuble qui servait de cité universitaire aux philologues en herbe : pour rien au monde je ne serais retournée dans cette thurne que je partageais avec un soudard nauséabond et qui, même en l'absence de celui-ci, était si bruyante à toute heure du jour ou de la nuit que je n'avais jamais pu ni y dormir ni y étudier, ce qui, pour une étudiante, était gênant. Je ne savais pas suite à quel miracle j'avais réussi ma première année, mais je ne comptais plus prendre un risque pareil pour la suite.

Chez Donate, j'avais une chambre à moi. Virginia Woolf a trop raison, rien n'est aussi important. Si elle n'était pas formidable, elle constituait néanmoins un tel luxe qu'elle me rendait capable d'accepter les avanies de Donate. Celle-ci n'y entrait jamais, moins par respect pour mon territoire que par dégoût. Aux yeux de Donate, j'incarnais « les jeunes » : quand elle parlait de moi, j'avais l'impression d'être un hooligan. Il suffisait que je touche à l'une de ses affaires pour qu'elle la mette dans le panier à linge sale ou à la poubelle.

À l'université, je n'étais pas quelqu'un de populaire. Les étudiants ne s'apercevaient pas de mon existence. Parfois, je réunissais mon courage pour adresser la parole à un garçon ou à une fille qui me semblait sympathique : on me répondait par monosyllabes.

Par bonheur, la philologie me passionnait. Passer le plus clair de mon temps à lire ou à étudier n'était pas un problème pour moi. Mais certains soirs, je pouvais souffrir de solitude. Je sortais, j'allais marcher dans les rues de Bruxelles. L'effervescence de la ville me montait à la tête. Les noms des rues me fascinaient : rue du Fossé-au-Loup, rue du Marché-au-Charbon, rue des Harengs.

J'atterrissais souvent dans une salle de cinéma où je voyais le premier film venu. Ensuite, je rentrais à pied, ce qui me prenait environ une heure. Ces soirées, que je trouvais aventureuses, me plaisaient.

Quand je rentrais, je devais faire très attention : le moindre bruit réveillait Donate. J'avais des consignes strictes : fermer les portes avec des précautions infinies, ne pas cuisiner, ni tirer la chasse d'eau, ni prendre une douche après vingt et une heures. Même en les respectant scrupuleusement, j'avais droit à des sermons.

Avait-elle eu des problèmes de santé ? Je n'en savais rien. Elle affirmait qu'elle avait besoin de plus de sommeil que la moyenne des gens. La liste de ses allergies s'allongeait chaque jour. Elle étudiait la diététique et critiquait mon alimentation avec des phrases du genre :

— Du pain et du chocolat ? Ne t'étonne pas si tu tombes malade.

— Je vais bien.

— C'est ce que tu crois. Tu verras quand tu auras mon âge.

— Tu as vingt-deux ans, pas quatre-vingts.

— Qu'est-ce que c'est que ces insinuations ? Comment oses-tu me parler comme cela ?

Je retournais dans ma chambre. Mieux qu'une solution de repli, celle-ci était le lieu de tous les possibles. Elle donnait sur le tournant du boulevard : j'entendais les trams négocier leur virage dans un crissement qui me séduisait. Couchée sur le lit, j'imaginais que j'étais un tramway, moins pour me nommer désir que pour ignorer ma destination. J'aimais ne pas savoir où j'allais.

Donate avait un amoureux qu'on ne voyait jamais. Elle parlait de lui avec des regards exaltés. Elle le parait de tant de vertus que je ne pus m'empêcher de lui demander s'il existait vraiment.

— Dis plutôt que j'invente.

— Il est où, ton Ludo ?

— Ludovic, je te prie. J'ai horreur de ces familiarités.

— Pourquoi ne le voit-on jamais ?

— Parle pour toi. Je le vois souvent, moi.

— Quand ?

— Au cours.

— Il étudie la diététique, comme toi ?

— La biochimie, pas la diététique.

— Chaque fois que tu me parles de tes études, c'est pour me raconter des trucs liés à la nourriture.

— C'est plus compliqué que cela. Bref, Ludovic est un garçon d'une très grande discrétion. Il me respecte infiniment.

J'en conclus qu'ils ne couchaient pas ensemble. Il était dur d'imaginer Donate ayant une vie sexuelle. C'était une question qu'elle n'abordait pas. Mais rien qu'à sa manière de m'interdire d'inviter qui que ce soit dans ma chambre, on comprenait combien elle était coincée.

Même si Ludovic relevait probablement de la fiction, je le lui jalousais. J'aurais voulu qu'il y ait quelqu'un dans ma vie. L'année d'avant, j'avais eu de vagues copains. Rien d'intéressant et pourtant, j'en avais la nostalgie, tant je me retrouvais seule à présent.

Comme j'avais besoin d'argent, je passai une petite annonce de répétitrice en français, littérature et grammaire, pour des adolescents.

— Ange ! Téléphone pour toi, appela Donate.

Au bout du fil, j'entendis une voix d'homme :

— Mademoiselle Daulnoy ? J'ai vu votre annonce. Mon fils de seize ans est dyslexique. Pourriez-vous vous occuper de lui ?

Je pris son adresse. Il me fixa rendez-vous pour le lendemain après-midi.

J'arrivai à seize heures. C'était une belle maison de ville comme on n'en voit qu'à Bruxelles dans les quartiers riches. L'homme qui me reçut était celui qui m'avait parlé au téléphone. Il pouvait avoir quarante-cinq ans et respirait les plus hautes responsabilités.

— Qu'est-ce que la philologie ? me demanda-t-il.

— En Allemagne et en Belgique, la philologie englobe toutes les sciences du langage et suppose une connaissance approfondie du latin et du grec ancien.

— Pourquoi avez-vous choisi ces études ?

— Parce que Nietzsche était philologue avant d'être philosophe.

— Êtes-vous nietzschéenne ?

— Personne n'est nietzschéen. Mais Nietzsche n'en demeure pas moins la meilleure des inspirations.

Il me considéra avec gravité et conclut :

— Très bien. Vous êtes une jeune fille sérieuse, vous êtes celle qu'il faut à mon fils. C'est un garçon intelligent et même supérieurement intelligent. Ses notes de français m'affligent. Pouvez-vous venir tous les jours ?

J'ouvris des yeux comme des soucoupes. Je ne m'attendais pas à une telle cadence.

— Le pouvez-vous, oui ou non ?

Il me proposa un salaire qui me parut mirobolant. J'acceptai avant d'ajouter :

— Encore faut-il que je plaise à votre fils.

— Et puis quoi encore ? Vous êtes la perfection incarnée. Il ne manquerait plus que cela, que vous ne lui plaisiez pas.

Il me remit l'enveloppe avec mes émoluments et m'introduisit dans la salle de séjour, où un garçon à l'air absent attendait, assis par terre en tailleur. L'adolescent se leva pour me saluer.

— Mademoiselle, je vous présente mon fils, Pie. Pie, je te présente mademoiselle Daulnoy, qui viendra chaque jour t'aider pour ton programme de français.

— Chaque jour ? s'exclama le garçon avec ennui.

— Cache ta joie, grossier merle ! Tu en as bien besoin, si tu veux réussir ton bac de français.

— Le bac ? interrogeai-je. Cela n'existe pas dans le système belge.

— Pie est au Lycée français. Bon, je vous laisse faire connaissance.

Dès que le père s'en alla, le fils se montra avec moi d'une politesse obséquieuse. Nous nous assîmes à la table devant ses notes de cours.

— Présentez-vous.

— Je m'appelle Pie Roussaire, j'ai seize ans, je suis de nationalité suisse. Mon père s'appelle Grégoire Roussaire, il est cambiste.

Cambiste : je ne savais pas ce que cela voulait dire, mais je me gardai de le signaler.

— Nous venons de nous installer à Bruxelles.

— Viviez-vous en Suisse auparavant ?

— Personnellement, je n'y suis jamais allé. Je suis né à New York et j'ai passé ma scolarité dans les îles Caïmans.

— Il y a des écoles, là-bas ?

— Si on veut.

Je m'empêchai de poser plus de questions sur les aspects louches du père de mon élève.

— Votre mère ?

— Carole Roussaire, sans profession. Je suis enfant unique.

— Bon. Vous êtes dyslexique : expliquez-moi.

— Je ne parviens pas à lire.

Il me sembla que cela n'avait pas de sens. Je saisis le premier livre venu, *Le Rouge et le Noir*, et le lui remis, ouvert à la première page.

— Lisez à haute voix.

Catastrophe : il achoppait à chaque mot qui, la plupart du temps, sortait de sa bouche à l'envers.

— Et en lecture silencieuse, parvenez-vous à lire ?

— Je ne sais pas.

— Comment ça, vous ne savez pas ?

Il commença à trembler.

— Quels sont vos centres d'intérêt ?

— Les armes.

Je le regardai avec inquiétude. Il vit mon angoisse et rit.

— Rassurez-vous, je suis non violent. Je m'intéresse aux armes, je n'en possède pas. J'aime regarder de belles armes sur Internet : des arquebuses, des épées, des baïonnettes. Je me documente sur ces sujets.

— Donc, vous lisez sur ces sujets ?

— Oui.

— Alors, vous savez lire.

— Ça n'a rien à voir. Ça m'intéresse.

— Il suffirait de lire un roman qui vous intéresserait.

Il me regarda avec perplexité, l'air de dire que cela n'existait pas.

— Qu'avez-vous dû lire, au collège ?

Expression stupéfaite, comme s'il ne comprenait pas la question. Je reformulai avec des termes différents :

— Vous rappelez-vous vos lectures obligatoires ?

— Des lectures obligatoires ? Jamais ils n'auraient osé un coup pareil.

Ce vocabulaire de chef de gang m'amusa.

— Donc, vous n'avez jamais lu un roman en entier ?

— Ni en partie. Et là, je dois lire ça ? souffla-t-il en montrant *Le Rouge et le Noir*.

— Naturellement. C'est le classique par excellence et vous avez l'âge idéal pour le lire.

— Comment je vais faire ?

— Il n'y a pas de recette. Il faut s'y mettre, c'est tout.

— Et vous, vous servez à quoi ?

— Vous attendiez-vous à ce que je lise le livre à votre place ?

— Vous l'avez déjà lu, non ? Alors pourquoi ne me le racontez-vous pas ?

— Parce que ça ne remplace pas. Tant mieux. C'est un tel plaisir de lire Stendhal !

Dans son regard, je lus que j'étais une débile irrécupérable.

La leçon n'avait pas duré assez longtemps. Je meublai un peu.

— Vous vous appelez Pie, c'est très beau. Vous êtes le premier que je rencontre.

— J'aurais préféré sans « e » à la fin.

— Vous aimez les mathématiques ?

— J'adore. Ça au moins, c'est intelligent.

J'ignorai l'attaque.

— C'est drôle, le prénom Pia revient et pas sa forme masculine. Ce doit être à cause du dernier pape qui a porté ce nom.

— De quoi parlez-vous ? demanda-t-il avec un mépris que j'affectai de ne pas voir.

— Pie XII, cela ne vous dit rien ? Il était pape pendant la Seconde Guerre mondiale. Non seulement il ne s'est pas opposé à la Shoah, mais il l'a même favorisée.

— On ne m'a pas appelé comme ça à cause de ce type.

— Je m'en doute. Pie, cela signifie pieux. Vous priez ?

— Vous m'avez déjà bien regardé ?

Je me levai.

— Cela suffira pour aujourd'hui, dis-je. Pour la prochaine fois, je veux que vous ayez fini *Le Rouge et le Noir*.

— Il va me falloir des semaines ! s'écria-t-il.

— Votre père veut que je vienne chaque jour. Théoriquement, il faudrait que vous l'ayez lu pour demain. Et c'est extrêmement possible.

— Attendez ! protesta-t-il. J'ai jamais lu un bouquin de ma vie et vous, vous voudriez que j'aie achevé ce pavé demain ?

L'objection me parut recevable.

— Je reviendrai donc après-demain. Au revoir.

Je quittai le garçon effondré qui ne me salua pas.

Le père m'intercepta dans le vestibule.

— Bravo ! Vous avez tenu bon ! L'impertinence de ce garçon m'insupporte.

— Vous écoutiez ?

— Bien sûr. Le grand miroir est sans tain. De mon bureau, j'écoute et je regarde.

— C'est gênant.

— C'est pour vous protéger.

— Je ne me sens pas en danger. Votre fils est non violent, vous l'avez entendu.

— Je voulais voir comment vous procédiez. Vous m'avez convaincu. Mon seul désaccord : vous n'auriez pas dû céder pour Stendhal. Il fallait l'obliger à le finir pour demain.

— Pie n'a jamais lu un roman de sa vie et vous voudriez qu'il lise *Le Rouge et le Noir* en un seul jour ? Franchement, son argument m'a paru légitime et je ne regrette pas d'avoir fait une concession. Il ne faudrait pas qu'il se dégoûte de la lecture.

— Ce garçon a besoin de fermeté.

— Ne trouvez-vous pas que j'en ai témoigné ?

— C'est vrai.

— Sait-il que vous l'écoutez et l'observez ?

— Non, bien sûr.

— Franchement, je préférerais que vous vous en absteniez à l'avenir.

Mon audace m'épata et sembla beaucoup déplaire au père de mon élève, qui ne répondit pas. Je compris qu'il se réservait le droit d'agir à sa guise. Il me raccompagna jusqu'à la porte d'entrée et me donna rendez-vous le surlendemain.

Quand j'eus tourné le coin, j'ouvris l'enveloppe et comptai les billets. « Il ne s'est pas fichu de moi », pensai-je en jubilant.

Le soir, je repensai à la curieuse impression que j'avais éprouvée en présence de ces gens. J'eus du mal à l'analyser.

J'essayai de ne pas tenir compte des informations bizarres que Pie m'avait livrées sur son passé. Il n'en demeurait pas moins que le père et le fils relevaient, chacun à sa manière, de l'étrangeté la plus absolue.

Les manières de Grégoire Roussaire me déplaisaient au plus haut degré ; qu'il se soit permis d'épier ma leçon sans m'en avertir me hérissait. Indépendamment de cela, cet homme dégageait quelque chose qui ne m'allait pas et que je ne pouvais définir.

Je n'avais pas pour mission de m'occuper du père, mais du fils. Celui-ci me touchait. Je comprenais son malaise. Avoir seize ans était une telle épreuve, à plus forte raison en débarquant des îles

Caïmans pour se retrouver à Bruxelles, ville dont on a toujours exagéré la chaleur humaine. Il n'avait jamais lu un livre ! En rendre responsable la scolarité me paraissait un peu court. Ses parents n'auraient-ils pas pu le lui suggérer ? Ce père, qui aurait voulu que son fils lise *Le Rouge et le Noir* en une nuit, n'aurait-il pas pu songer, pendant les seize années précédentes, à l'initier au bonheur de la lecture ?

Je n'avais que trois ans de plus que Pie et pour moi, cela avait été si naturel. Ma mère me lisait les *Contes* de Perrault au chevet de mon lit et il allait de soi que je découvre par moi-même le mode d'emploi de ces grimoires. Dès mes huit ans, j'étais devenue dépendante de ces immersions dans l'univers miraculeux des enchanteurs que sont Hector Malot, Jules Verne et la comtesse de Ségur. L'école n'avait eu qu'à s'engouffrer dans la brèche.

« Il doit être en pleine lecture », me dis-je en pensant à Pie. Où en était-il ? S'identifiait-il à Julien ou le méprisait-il ? Ce garçon avait l'air si mal dans sa peau. S'agissait-il de l'ordinaire d'une crise d'adolescence ou d'autre chose ?

Physiquement, je ne l'avais pas trouvé beau ; pour autant, il n'était pas laid, juste maigre et gauche comme on l'est à cet âge. Ressemblait-il à son père ? Il me parut que non. Il avait l'air de le détester. Sur ce point, comme je le comprenais !

Le surlendemain, Pie m'attendait avec cette politesse marquée qu'il affectait en l'absence de son père. Je m'assis dans le canapé et lui désignai la place à côté de moi.

— Avez-vous lu *Le Rouge et le Noir* en entier ?

— Oui.

— Et alors ?

— Je l'ai lu. C'est ce que vous me demandiez, non ?

— Oui. Qu'en avez-vous pensé ?

— Parce que en plus il faudrait que j'en pense quelque chose ?

— C'est inévitable.

— Qu'appelez-vous penser ?

— Avez-vous aimé ce roman ?

— Non ! Bien sûr que non.

— Pourquoi bien sûr ?

— Parce que j'aurais pu occuper ce temps de lecture à faire mille activités supérieures.

— Comme ?

— Des mathématiques, par exemple.

— Vous admettrez que ce n'est pas une raison intrinsèque de détester ce livre.

— Vous vouliez une raison intrinsèque ? Il fallait le dire. Ma foi, j'ai détesté ce bouquin parce que c'est de la littérature pour les filles.

— Julien Sorel n'est pas une fille et Stendhal non plus.

— On sent bien que cette histoire s'adresse aux filles. Le but de Stendhal est que les lectrices tombent amoureuses de Julien Sorel.

— Beaucoup de lecteurs se sont épris de Julien, vous savez.

— Naturellement. Les pédés.

— Pas seulement.

— En tout cas pas moi. Je déteste ce type.

— Ça se défend.

— Il est infect !

— Je comprends votre point de vue.

— Vous vous attendiez à ce que j'aime ce livre ?

— Je ne m'attendais à rien.

— Vous, vous l'aimez ?

— C'est l'un de mes romans préférés.

— Alors, vous aimez Julien ?

34

— Je n'en suis pas sûre. Aimer un roman ne signifie pas nécessairement qu'on aime les personnages.

— Vous aimez cette histoire ?

— Oui.

— Comment pouvez-vous ? C'est une histoire d'ambition, donc déjà c'est nul, et en plus c'est une ambition qui échoue pour des motifs ridicules.

— Vous êtes dans le jugement moral. Aimer un livre n'a rien à voir avec ça.

— Ça a à voir avec quoi, en fin de compte ?

— Avec le plaisir que l'on éprouve à le lire.

— Jamais je ne pourrais avoir du plaisir en lisant.

— Vous n'en savez rien. Ce livre n'a pas provoqué de plaisir chez vous. Un autre le pourrait.

— Lequel ?

— Je ne sais pas. Nous trouverons.

Prise d'une intuition subite, je saisis l'exemplaire de Stendhal posé sur la table basse, l'ouvris au hasard et le tendis au jeune homme.

— Lisez à haute voix.

— Puisque je vous dis que je n'aime pas ce bouquin ! s'insurgea-t-il.

— Ce n'est pas la question.

Il soupira rageusement et s'exécuta. Par provocation, il n'y mit aucune expression et lut mécaniquement, à toute vitesse.

— Très bien, dis-je pour l'interrompre.

— Ça vous avance à quoi ? demanda-t-il.

Je ne répondis pas et je me levai pour inspecter la bibliothèque.

— Il y a tant de livres chez vous et cela ne vous a jamais attiré ?

— Pure esbroufe. Ma mère ne les a sûrement pas lus. Mon père, allez savoir.

— Pourquoi ne lui posez-vous pas la question ?

Il ricana.

Je tombai sur *L'Iliade*. Je m'en emparai et vins me rasseoir.

— Voici votre prochaine lecture.

— C'est quoi ?

— Homère, vous n'en avez jamais entendu parler ?

— C'est vieux, non ?

— C'est le moins qu'on puisse dire. Vous vous intéressez aux armes, m'avez-vous expliqué. C'est le récit d'une guerre.

— Combien de temps me donnez-vous pour lire ce livre ?

— Impossible à préciser. Vous m'appellerez quand vous aurez fini.

Il me regarda comme une souveraine idiote. Dans ses yeux, je vis ce qu'il pensait de moi : « Je pourrais ne jamais te rappeler, pauvre imbécile ! » J'en avais conscience mais il me sembla que c'était un risque qui en valait la peine.

En sortant, conformément à mes craintes, je fus interceptée par le père qui m'attira dans son bureau et me parla sans aménité :

— On peut savoir à quel jeu vous jouez ? demanda-t-il.

Je ne me démontai pas et dis :

— Vous avez entendu comment votre fils a lu ?

Il réfléchit.

— Vous avez remarqué le progrès ? Il n'a achoppé sur aucun mot. Il n'a inversé aucune syllabe.

— Il a très mal lu, sans la moindre intonation !

— Vous m'avez confié votre fils pour que je soigne sa dyslexie, monsieur, et non pour lui apprendre à lire avec art.

— C'est vrai. Mais là, combien de temps lui faudra-t-il pour lire *L'Iliade* ? Il va se moquer de vous !

— C'est ce que nous verrons. Mon contrat consiste à aider Pie pour ses cours de français et je constate que j'y arrive. Par ailleurs, je vous répète que je préférerais ne pas être observée pendant mes cours.

Grégoire Roussaire me donna mon salaire. Je pris congé.

L'Iliade : qu'est-ce que j'espérais ? C'était un sacré coup de poker.

« Au moins, cela n'a rien à voir avec *Le Rouge et le Noir* », pensais-je.

Dans ma chambre, je relus le début de *L'Iliade* que j'avais traduit au cours de grec ancien, à l'âge de quinze ans, avec vénération. « Comment puis-je escompter que ça produise sur Pie un effet comparable ? »

Sous le charme, je poursuivis ma lecture. Très vite, je songeai que le garçon devait être en train de lire les mêmes vers, et j'en éprouvai un malaise si profond que je ne pus pas continuer.

« Après tout, on m'a engagée pour soigner sa dyslexie et c'est déjà presque gagné », me dis-je. Il avait suffi qu'il lise un livre en entier : j'eus une bouffée de colère à l'idée que personne n'avait suggéré à l'adolescent une telle évidence. Comment pouvait-on enseigner la lecture à quelqu'un autrement qu'en lisant ? C'était à se taper la tête contre les murs.

Ces derniers temps, dans les médias, on signalait une épidémie de dyslexie. Il me sembla en détenir l'explication. Nous vivions une époque ridicule où imposer à un jeune de lire un roman en entier était vu comme contraire aux droits de l'homme. Je n'avais que trois ans de plus que Pie. Pourquoi avais-je échappé au naufrage ? Mes parents m'avaient éduquée simplement, sans recourir à des méthodes particulières. Pour moi, le mystère, c'étaient ces adolescents qui n'avaient pas la curiosité naturelle de lire. Que l'on en accuse Internet ou les jeux vidéo m'apparaissait aussi absurde que d'attribuer à telle ou telle émission de télévision la responsabilité de leur désaffection pour le sport.

— Comment ça se passe, tes cours particuliers ? demanda Donate.

J'expliquai comme je le pus. Ma colocataire grimaça.

— Ce pervers qui vous observe tous les deux de son bureau !

— Je suis de ton avis. J'ai essayé de le lui interdire, il s'en fiche.

— Pourquoi ne démissionnerais-tu pas ?

— C'est bien payé. Et le garçon est intéressant.

— Tu n'es pas en train de tomber amoureuse, j'espère ?

— Il a seize ans !

Donate éclata de rire.

— Me voici rassurée, dit-elle avec une ironie qui me donna envie de la gifler. Quand est ton prochain cours ?

— Je ne sais pas. Il me rappellera lorsqu'il aura fini de lire *L'Iliade*.

— Attends. Le gosse parvient à peine à lire et tu lui refiles *L'Iliade* ? Tu cherches à l'humilier !

— Il a détesté *Le Rouge et le Noir*.

— Donc, il va adorer Homère ! Ta logique m'échappe.

Pour le coup, j'étais d'accord. Histoire d'avoir le dernier mot, je dis bêtement :

— Ça me garantit quelques jours de tranquillité.

Le lendemain matin, Grégoire Roussaire me téléphona :

— Mon fils a fini de lire *L'Iliade*. Venez cet après-midi à l'heure habituelle.

Sonnée, je flairai une supercherie. Je me rendis à l'université de mauvaise humeur. La journée me parut interminable. Même le professeur d'étymologie, qui me passionnait toujours, me sembla fastidieux.

À seize heures, j'arrivai dans la riche demeure. Allongé par terre, mon élève se leva d'un bond pour me recevoir. Je crus qu'il avait pris quelque chose : il avait le regard halluciné.

— Bonjour, Pie.

— « Chante, ô Muse, la colère d'Achille... »

— Vous avez appris *L'Iliade* par cœur ?

— Il le faudrait. J'ai adoré !

Il était en état second. J'inspectai ses pupilles, qui me parurent normales.

— Vous l'avez lu en entier ?

— Bien sûr ! C'est trop génial. Enfin une histoire qui se donne de grands moyens !

— On peut dire cela, oui.

— Rien à voir avec votre Stendhal, des petites amourettes en chambre. En Amérique, de *L'Iliade*, on dirait : « *It's bigger than life !* »

Je ris. L'instant d'après, je soupçonnai le bluff et je l'interrogeai :

— Vous ne vous êtes jamais ennuyé au cours de votre lecture ?

— Si. Au début, les descriptions de la flotte grecque, j'ai eu du mal. On a un peu l'impression que l'auteur veut remercier ses sponsors.

— Il n'y en avait pas !

— Je m'en doute. Appelez ça comme vous voulez, il en fait trop avec ses bateaux et son *name dropping*. On jurerait qu'il a un cahier des charges et que les illustres familles grecques ont toutes exigé d'être citées, histoire de pouvoir plastronner. « Lisez *L'Iliade*, vous verrez : la guerre de Troie, mon vieux y était ! »

— C'est beau, quand même, cette glorification des bateaux.

— À mon avis, c'est aussi une manière de signaler l'ambiguïté de Poséidon. Il est le seul dieu qui défende les Troyens, il a construit le mur qui les protège. Il pouvait déchaîner une tempête et envoyer la flotte grecque par le fond.

— Mais alors, il n'y aurait pas eu de guerre. Et les dieux voulaient qu'il y ait la guerre.

— Oui, on dirait qu'ils ont du plaisir à voir les hommes s'affronter. On les comprend : le récit des affrontements est passionnant et magnifique. Ce qui est énervant, c'est qu'on sent qu'Homère est pour les Grecs.

— Il est grec.

— Et alors ? Je ne suis pas troyen et je suis de leur côté.

— Vous avez lu la préface de Giono ?

— Lire une préface, ça ne risque pas de m'arriver. Mais c'est clair que ces Grecs sont des salauds.

— Ils sont rusés.

— Ils sont déloyaux. Je les déteste. Les Troyens, je les apprécie, surtout Hector.

— Qu'est-ce qui vous plaît en lui ?

— Il est noble, courageux. Et il a un point commun avec moi : il est asthmatique.

— Le mot asthme n'est pas employé dans le texte.

— Non, mais la description de sa crise ne trompe pas. Je reconnais les symptômes.

Et je comprends qu'il soit allergique aux Grecs !

— Quand même, ils ont quelques éléments intéressants, Ulysse, par exemple.

— Ulysse ? Un sale type ! Le coup du cheval de Troie, quelle infamie !

— *Timeo Danaos et dona ferentes.*

— C'est ça oui. Jouer sur la croyance de l'autre, inventer une fausse trêve, votre Ulysse me donne envie de vomir.

— C'est la guerre.

— Et alors ? Tous les coups ne sont pas permis !

— Il n'y a pas de convention de Genève, à l'époque.

— Les Troyens, eux, ne songeraient jamais à commettre une chose aussi horrible.

— Oui. C'est pourquoi ils perdent.

— On s'en fiche. C'est eux qui ont raison.

— Et Achille, il ne vous fascine pas ?

— C'est le pire. Une caricature de guerrier américain. Ce qu'on nous décrit comme du courage, c'est la vanité d'un crétin qui table sur la protection divine au point de se croire invincible.

— Ses pleurs à la mort de Patrocle, cela ne vous touche pas ?

— Grotesque ! Toujours le *warrior* américain, qui tue des flopées d'ennemis sans l'ombre d'un problème de conscience, et qui trouve inadmissible qu'on tue l'un de ses gens.

— Son meilleur ami, vous voulez dire.

— Il en a tué combien, lui, des meilleurs amis troyens ?

— Mais la profondeur de son amitié est bouleversante !

— Non. Les salauds aussi ont des meilleurs amis, voilà tout.

— Je me demande si vous n'avez pas trop épousé la cause troyenne.

— Je vous l'ai dit, j'aime Hector. Je m'identifie à lui. En lisant *Le Rouge et le Noir*, j'étais incapable de m'identifier à Julien – à plus forte raison aux bonnes femmes. Alors qu'avec Hector, ça s'est fait de soi-même.

— Pas uniquement pour la crise d'asthme, j'espère.

— Non, bien sûr. Il y a beaucoup d'exemples de sa noblesse. Mais l'asthme est le signe de son dégoût. Je le rejoins là-dessus.

— Écoutez, je suis très contente. Vous avez lu *L'Iliade* comme je n'ai jamais vu quelqu'un le lire. Ça, c'est de la lecture.

— Oui. Hélas, *L'Iliade* ne figure pas à mon programme de français.

— Il y a une théorie littéraire selon laquelle tout roman est soit une iliade soit une odyssée. Donc, vous ne pouvez pas rêver mieux comme introduction.

— Si je comprends bien, je vais devoir lire *L'Odyssée*.

— Bien sûr. Ne tirez pas la tête. Vous avez tellement aimé *L'Iliade* !

— *L'Odyssée*, c'est l'histoire d'Ulysse. J'ai une dent contre lui, je vous l'ai dit.

— Ulysse est très différent dans *L'Odyssée*. Quoi qu'il en soit, vous m'avez à ce point passionnée pour votre réaction à *L'Iliade* que, forcément, je veux connaître votre réaction à *L'Odyssée*.

— Ça m'apprendra.

Je ris et quittai la pièce. Comme je le redoutais, le père m'attrapa à la sortie.

— Monsieur, je n'aime pas que vous espionniez mes leçons, dis-je avec humeur.

— Et moi, je n'en reviens pas de ce que j'ai entendu. Quand mon fils m'a averti qu'il avait fini *L'Iliade*, j'ai cru qu'il mentait.

— Vous voyez qu'elle n'était pas si mauvaise, mon idée.

— Je le reconnais.

— Donc, vous pouvez me faire confiance et cesser de nous épier.

— Ce n'est pas de vous que je me méfie, mademoiselle.

— Si votre fils savait que vous assistez à nos leçons par une ruse, il serait furieux. Et je le comprendrais.

— J'aime profondément Pie.

— C'est une étrange manière de le prouver.

— Je vous défends de me juger.

— Pourtant, vous ne vous privez pas de me juger, moi. Je n'ai pas oublié ce que vous m'avez dit hier. Vous m'avez parlé comme à une folle furieuse.

Je partis la tête haute, pour ne pas lui montrer que, la veille, quand je m'en étais allée, je me prenais moi aussi pour une folle furieuse.

Il fallut quatre jours à monsieur Roussaire pour me rappeler.

J'arrivai l'après-midi à l'heure convenue. Ce fut Pie qui m'ouvrit la porte. Il m'installa au salon avec cet excès de civilité qui me mettait toujours mal à l'aise chez lui et qui, heureusement, disparaissait dès qu'il parlait.

— Un jour pour lire *L'Iliade*, quatre jours pour lire *L'Odyssée*. Expliquez-moi.

— J'étais fatigué. Pour *L'Iliade*, j'ai passé une nuit blanche.

— Je comprends. Mais encore ?

— J'ai aimé *L'Odyssée*, moins que *L'Iliade* cependant. Ce n'est jamais que l'histoire d'un seul homme.

— C'est faux.

— Oui, d'accord, il y a ses compagnons, sa femme, son fils. Ce sont des personnages secondaires. *L'Iliade*, ce n'est pas l'histoire d'Achille. C'est l'histoire de la confrontation entre deux groupes humains.

— La vérité, c'est que vous n'aimez pas Ulysse.

— En effet. On ne peut pas aimer à la fois Hector et Ulysse.

— Vous n'allez pas rester obsédé par Hector jusqu'à la fin des temps.

— Et pourquoi pas ?

— Bon. Hector est mort dans l'épisode précédent. Tournons la page. Que reprochez-vous à Ulysse ?

— Il ment comme il respire !

— Non. Il recourt à la ruse. C'est ça ou mourir.

— Je préférerais qu'il meure.

— S'il mourait, il n'y aurait pas d'*Odyssée*.

— *L'Iliade* me suffit.

— Écoutez, la dernière fois, vous étiez si brillant, et là, vous ne débitez que des bêtises.

— Désolé. J'aime les histoires de guerre. Je détesterais vivre une guerre, mais en littérature, qu'est-ce que ça donne bien ! Dès qu'il n'y a plus de guerre, la littérature redevient l'histoire de l'amour et de l'ambition.

— Dans *L'Odyssée*, il y a bien autre chose que de l'ambition et de l'amour.

— Oui. Le Cyclope, j'ai adoré.

— Ah, quand même !

— Là encore, je trouve qu'Ulysse se conduit mal avec Polyphème.

— Vous préféreriez qu'il se laisse massacrer avec ses compagnons ?

— Admettons. Il n'empêche que j'aime Polyphème et que je souffre pour lui. Et vous n'allez pas me dire qu'Ulysse se conduit bien avec Nausicaa !

— Il ne lui fait rien.

— Vous plaisantez ! À poil devant elle, il lui adresse un discours brûlant, à elle qui n'a jamais rien connu de sa vie, et puis, quand le père de Nausicaa l'a renfloué, il l'abandonne.

— Il doit retrouver sa femme.

— Il était temps d'y penser, à sa femme ! Et la pauvre Nausicaa, que devient-elle ?

— Je ne vous aurais pas imaginé solidaire d'une jeune fille.

— Dites tout de suite que vous me prenez pour une brute.

— Vous êtes un lecteur intéressant. Si je comprends bien, il va falloir que je vous propose uniquement des livres de guerre.

— Et vous, à quoi avez-vous occupé ces quatre jours ?

— Je suis étudiante, mon quotidien consiste à étudier. Il n'y a pas grand-chose à en dire.

— Vous avez un copain ?

— Cela ne vous regarde pas.

— Moi, je n'ai pas de copine, je vous le dis.

— Cela ne m'oblige pas à vous imiter.

— Ne prenez pas votre air de donneuse de leçons. Mon père m'a dit votre âge. Vous n'avez que trois ans de plus que moi.

— Votre père ne me paie pas pour que j'aie avec vous ce genre de conversation.

— Et vous êtes ici pour l'argent ?

— Vous croyez que c'est pour votre charme très particulier ?

— Vous êtes une rosse.

— Vous n'avez pas parlé du retour d'Ulysse à Ithaque.

— Le coup de l'arc, je trouve que c'est une métaphore sexuelle un peu grossière.

— Plus en français qu'en grec ancien.

— Vous l'avez lu en grec ancien, vous ?

— Je suis philologue.

— Au fond, vous n'avez pas dix-neuf ans, vous en avez quatre-vingts.

— Exact. Qu'avez-vous aimé d'autre dans le retour d'Ulysse à Ithaque ?

— Franchement, je n'ai pas raffolé de cet épisode.

— Ulysse reconnu par son vieux chien qui meurt d'émotion, cela ne vous a pas bouleversé ?

— Non, c'est juste invraisemblable. Un chien ne vit pas si longtemps.

— Il ne faut pas s'arrêter à ce genre de détail. Quand Homère dit qu'Ulysse est parti pendant vingt ans, c'est une façon de parler.

— Encore heureux que j'aie fini de le lire. Avec un argument pareil, vous m'auriez dégoûté d'Homère au point de me faire refuser de l'ouvrir.

— Homère écrit pour la première fois des chants qui appartiennent à la tradition orale. Il est l'héritier des aèdes et s'efforce de respecter leurs codes, parmi lesquels figure l'approximation chronologique.

— Par moments, on sent les ruses pour captiver les auditeurs. Par exemple, le rythme des séquences. Chaque aventure dure un certain nombre de vers, le temps de porter l'action à son climax. Et puis se relâche. Le public peut aller aux chiottes.

Je ris.

— Bien vu. C'est un tyran, Pisistrate, qui a ordonné que *L'Iliade* et *L'Odyssée* soient écrites. L'entreprise éditoriale fut colossale, révolutionnaire et sans précédent. Les aèdes ont hurlé au scandale, affirmant qu'on dénaturait pour toujours l'œuvre la plus belle de tous les temps. Le pire, c'est qu'ils avaient peut-être raison. On ne peut pas exclure que le texte ait beaucoup perdu à être fixé. Mais si on ne l'avait pas fait, on n'en aurait plus trace aujourd'hui.

— Les lecteurs de l'époque l'ont-ils boycotté ?

— Au contraire.

— Comment peut-on le savoir ? A-t-on accès aux palmarès des ventes du cinquième siècle avant Jésus-Christ ?

— Non. On a un indice autrement révélateur. Avec l'édition est née la critique littéraire. Et il s'est trouvé un critique, Zoïle, pour déclarer qu'Homère écrivait comme un tâcheron. Eh bien, le public s'est emparé de Zoïle et l'a pendu.

— J'adore !

— Bon. Vous allez lire à haute voix l'épisode des Lotophages.

— Pourquoi celui-là ?

— Je l'aime bien.

Je lui tendis *L'Odyssée* ouverte à la page indiquée. Pie lut, toujours aussi atone, mais sans achopper une seule fois.

— Vous n'êtes plus dyslexique. Ma mission est terminée.

Le garçon resta ahuri.

— Votre père m'a engagée pour régler votre problème de dyslexie. Vous êtes guéri.

— J'ai besoin de vous pour le bac de français !

— Allons donc. Vous n'avez aucun besoin de moi. Vous avez lu *L'Iliade* et *L'Odyssée* avec un talent exceptionnel. Vous en parlez comme très peu de lecteurs adultes sont capables d'en parler.

— Ni *L'Iliade* ni *L'Odyssée* ne sont au programme.

— On s'en fiche. Qui peut le plus peut le moins. Honnêtement, pour un lecteur moderne, Homère est plus difficile d'accès que Stendhal.

— Je ne suis pas de cet avis.

— Ce n'est pas une question d'avis. C'est une donnée objective.

— Bien, j'ai compris. Vous ne voulez plus vous occuper de moi.

— Ce n'est pas vrai. Je ne veux pas être malhonnête, voilà tout.

— Vous ne le seriez pas. S'il vous plaît, occupez-vous de moi.

Il était à la fois violent et implorant.

— Je ne comprends pas. Vous avez montré plus que de l'agacement à mon sujet. Il vous a fallu quatre jours pour me rappeler alors que j'étais censée vous voir quotidiennement.

— Pardonnez-moi. Ça ne se reproduira plus.

— Vous n'avez pas à vous excuser. Votre attitude me semblait logique. C'est maintenant que je ne vous comprends plus. En quoi consiste votre prétendu besoin de moi ?

— Vous avez réussi à éveiller mon intérêt pour la littérature.

— Oui. Eh bien, c'est fait.

— Non. Si vous partez, ça n'existe plus.

Je le contemplai, décontenancée. Sa détresse sautait aux yeux. C'était la première fois de ma vie que je lisais, dans le regard de quelqu'un, combien j'étais nécessaire.

À la fois touchée et embêtée, je dis que je reviendrais le lendemain.

— Merci, dit-il avant de quitter la pièce précipitamment.

« Qu'est-ce que c'est que cette famille de dingues ? » pensai-je en sortant. Je n'avais pas fini de le penser que Grégoire Roussaire m'intercepta, les yeux brillants.

— Bravo, mademoiselle.

« Je l'avais oublié, ce taré-là ! » me dis-je.

58

— Vous avez habilement manœuvré.

— De quoi parlez-vous ?

— Mon fils était d'une insolence intolérable. Vous l'avez admirablement remis à sa place.

— Votre fils a été d'une insolence normale à son âge et je n'ai pas ressenti le besoin de me défendre. Il n'est plus dyslexique, je ne vois pas pourquoi il affirme avoir encore besoin de mes services.

— Il a raison : en français, c'est un cancre.

— Il s'exprime bien, il lit beaucoup mieux que la moyenne des gens.

— Parce que vous le stimulez.

— Et pourquoi ne le stimulez-vous pas, vous ?

— Je n'ai pas le temps.

— Vous avez le temps d'espionner mes leçons et vous n'avez pas le temps de discuter avec Pie ?

L'homme soupira.

— J'ai un problème relationnel avec lui.

— N'est-ce pas plutôt de cela qu'il faut s'occuper ?

— Écoutez, le bac de français approche. La psychologie des profondeurs, ce sera pour une autre fois.

— Votre fils a-t-il aussi un problème relationnel avec sa mère ?

— Non. Aucun.

— Alors, pourquoi ne le stimule-t-elle pas ?

Il ricana.

— Comment vous expliquer ? Ce n'est pas une femme très stimulante.

Je sentis son mépris et je sus à quel point je détestais ce type. Fut-ce pour cette impression qu'il me tendit à cet instant l'enveloppe avec mon salaire ?

— Je vous ai compté les leçons de ces quatre jours.

— Il n'y a pas de raison, protestai-je.

— Si. Vous aviez immobilisé ces heures dans votre emploi du temps. Ce petit sagouin s'est montré avec vous de la dernière incorrection.

— Je ne trouve pas aberrant qu'il lui ait fallu quatre jours pour lire *L'Odyssée*.

— Il pouvait vous appeler même sans l'avoir terminée. Vous nous aidez plus que vous ne le croyez, mademoiselle.

« Nous ? » pensai-je. La hâte de partir l'emporta. Une fois dans la rue, je respirai à pleins poumons.

Cette leçon m'avait causé un malaise si profond que je fus presque soulagée du questionnement de Donate.

— Le gosse a adoré *L'Iliade*. Il l'a lue en vingt-quatre heures et m'en a parlé de façon vraiment étonnante et brillante.

— C'est pour ça que tu tires une tête pareille ?

Je lui racontai la suite. Elle grimaça.

— Quel père abominable !

— Oui.

— Cambiste, qu'est-ce que c'est ?

— J'ai regardé dans le dictionnaire. « Spécialiste des opérations de change dans une banque. » À mon avis, il doit y avoir un autre sens moins honnête. Cet homme est affreusement riche et il pue. Il vient de passer une quinzaine d'années aux îles Caïmans.

— Ça sent l'arnaque, mieux vaudrait que tu te tires !

— S'il n'y avait pas le garçon, c'est ce que je ferais. Cet après-midi, quand il m'a suppliée de rester, j'ai senti une vraie détresse en lui. Ça ne relevait pas du caprice d'enfant gâté.

— Il te plaît, n'est-ce pas ?

— Mais non. En revanche, il m'intéresse et il me touche.

— Je te trouve bien jeune pour éprouver de l'instinct maternel envers lui.

— Il y a d'autres attachements que l'amour et l'instinct maternel, figure-toi.

— Ah oui ? Lesquels ?

— L'amitié. La curiosité.

— La curiosité est-elle un attachement ?

— En l'occurrence, oui.

Désormais, chaque jour de la semaine, je me rendis chez les Roussaire. Puisque je n'étais plus censée guérir un dyslexique, je me permettais de lui parler parfois de choses et d'autres. Cela me valut des réflexions de la part de son père :

— Quand vous avez discuté au sujet des zeppelins, cela ne m'a pas semblé très littéraire.

— Tout peut être littéraire.

— Certes. L'angle sous lequel vous bavardiez ne l'était pas.

— Vous avez dit que votre fils avait besoin de stimulation. Faites-moi confiance.

— J'ai confiance en vous.

— C'est pour cela que vous continuez à m'espionner ?

— Ce n'est pas vous que j'espionne, c'est lui.

— De quoi avez-vous peur ?

— Qu'il vous manque de respect.

— Nous en avons déjà parlé. Je suis capable de me défendre. Le vrai manque de respect, c'est votre espionnage.

— Mademoiselle, c'est à prendre ou à laisser.

Je détestais ce type, mais je m'entendais de mieux en mieux avec Pie, que je trouvais de plus en plus intéressant.

Il m'avait, en effet, beaucoup parlé de zeppelins. La quasi-disparition de ceux-ci le laissait inconsolable :

— Que les aérostats coûtent cher ne me semble pas un argument. L'avion, la recherche spatiale, tout cela coûte affreusement cher. La vérité est qu'on les a abandonnés à cause de leur immensité, qui les rendait peu pratiques, en particulier au sol. Vous imaginez la taille du hangar à zeppelins ? Précisément, cette idée m'émeut. Je voudrais voir un de ces géants dans son hangar.

— Ce ne devrait pas être impossible.

— Je me suis renseigné. Comme les zeppelins ne servent plus qu'à la publicité, il faut passer par des agences de communication. Je trouve ça sinistre.

— Ils prennent feu facilement, non ?

— Oui. C'est un autre problème de l'aérostat, qui en a décidément beaucoup : fragile, cher, encombrant. Mais c'est si beau, ces baleines volantes, silencieuses et gracieuses. Pour une fois que l'homme invente quelque chose de poétique !

— Cette passion fait-elle partie de votre intérêt pour les armes ?

— Pas tellement. L'usage guerrier du zeppelin s'est révélé catastrophique. Un engin aussi délicat n'avait sa place qu'en temps de paix. Mais son cantonnement dans la publicité m'afflige. Je voudrais créer une agence de zeppelins. Idéalement, je les conduirais moi-même. On me les louerait pour des voyages.

— Pourquoi pas ?

— Mon père m'a dit que c'était impossible. Il paraît que les gens d'aujourd'hui ne supportent pas l'idée d'avoir une bombe à hydrogène qui se balade au-dessus de leur tête. Je me demande pourquoi quand on voit tous les dangers qu'ils acceptent et qui, eux, ne sont même pas beaux à regarder ! Mon père dit que je n'ai aucune conscience de la réalité.

— Qu'en pensez-vous ?

— Il faudrait déjà savoir ce qu'est la réalité pour mon père.

L'un et l'autre souffraient clairement d'un déficit de réalité, voilà ce que je ne lui dis pas. La carence de Grégoire Roussaire me semblait néanmoins plus grave en ceci que, gagnant énormément d'argent, il se croyait proche du réel.

Un jour, ce fut une femme chic, d'une quarantaine d'années, qui m'ouvrit.

— Je vous rencontre enfin ! s'écria-t-elle. Mon fils m'a tant parlé de vous.

— Bonjour, madame, lui dis-je, n'osant pas enchaîner que son fils ne m'avait jamais parlé d'elle.

Elle déclara que Pie allait arriver d'un instant à l'autre. Je la regardai à la dérobée, espérant que ma curiosité ne se voie pas trop. Elle ne se gênait pas pour me dévisager et pour observer les moindres détails de ma personne.

— J'aime beaucoup votre jupe. Puis-je toucher ?

N'attendant pas ma réponse, elle s'assit à côté de moi sur le canapé et tâta l'étoffe du vêtement.

— Ce modèle est très original. Évidemment, il faut être mince comme vous pour le porter. Combien pesez-vous, made-moiselle ?

S'ensuivirent des questions à n'en plus finir. Très gênée, j'y répondis, jusqu'au moment où je compris que la meilleure défense, c'était l'attaque.

— Et vous, madame, quelle est votre occupation ?

Enchantée, elle sourit et feignit d'avoir une pudeur à vaincre avant de passer aux aveux :

— Je suis collectionneuse.

Elle attendit, sûre de mon interrogation suivante. Dont acte :

— Que collectionnez-vous ?

Carole Roussaire courut chercher son ordinateur portable et, après quelques codes, me montra la photo d'une saucière.

— Vous collectionnez les saucières ?

Elle éclata de rire.

— Non, voyons, que vous êtes drôle ! Je collectionne les objets en porcelaine. Cette saucière est ma plus récente acquisition. Elle a appartenu à Louis II de Bavière.

Il me sembla que cette saucière était la manière la moins intéressante au monde d'aborder le règne de Ludwig, mais je dis quelque chose de poli, du genre :

— C'est fascinant !

— N'est-ce pas ?

Intarissable, la mère de mon élève se mit à me montrer les photos d'un nombre édifiant de tasses, soucoupes, assiettes, chocolatières, compotiers, qu'elle avait achetés à des familles plus illustres les unes que les autres. Le premier quart d'heure, je crus périr d'ennui. Le deuxième, je le souhaitai.

— Et où entreposez-vous ces merveilles ? demandai-je.

— Comment cela ?

— Cette collection doit prendre beaucoup de place et exiger des précautions spéciales.

Madame Roussaire demeura perplexe un long moment avant d'évacuer d'un geste les absurdités que j'avais proférées.

— Ces considérations ne me regardent pas.

— Assurément, vous disposez d'un associé qui s'occupe de cela pour vous.

— Je ne comprends pas un mot de ce que vous racontez, dit-elle avec un commencement d'irritation.

Soudain, je percutai :

— Vous n'avez jamais eu l'un de ces objets entre les mains ! Vous les avez achetés sur Internet et ils y sont toujours !

Ce « y », renvoyant à un lien à ce point vague, était le nœud du problème.

— Bien sûr, répondit-elle, incommodée que j'aie pu, l'espace d'une minute, penser autre chose.

— Croyez-vous que tous les collectionneurs d'aujourd'hui procèdent comme vous ?

Elle me regarda avec consternation, l'air de se demander pourquoi je m'intéressais à des questions aussi stupides, et soupira :

— Peut-être.

— C'est extraordinaire ! Internet a rendu le monde méconnaissable. Avant, un collectionneur était un maniaque qui conservait ses trésors avec des précautions folles. À présent, le collectionneur se contente d'en posséder l'image sur Internet.

— À qui parlez-vous ?

— À moi-même. Je me demande si c'est un progrès.

— Je vais prévenir mon fils de votre arrivée, dit-elle en se levant, ravie de trouver un prétexte pour quitter une personne aussi incongrue.

Une demi-heure plus tôt, elle m'avait dit que Pie serait là d'une minute à l'autre. En vérité, si Carole Roussaire m'avait eue à la bonne, elle n'aurait jamais averti le garçon de ma venue.

Quand il me rejoignit, il avait la mine embarrassée de celui dont on vient de découvrir le secret honteux.

— Vous avez rencontré ma mère.

J'acquiesçai.

— Je suis désolé. Je crois qu'elle voulait vraiment vous connaître.

— C'est normal.

— Que pensez-vous d'elle ?

— Comment pourrais-je avoir une opinion en si peu de temps ?

— Vous mentez. C'est de la politesse. Ma mère est une idiote.

— Ne dites pas cela.

— Pourquoi ? Parce que cela ne se dit pas ?

— En effet.

— Tant pis. À vous, j'ai besoin de le dire : ma mère est une idiote. Voyez-vous, mon père n'est pas un crétin, mais je le méprise et nous sommes incapables de nous parler sans nous hurler dessus. Ma mère n'est pas méchante, mais que pourrais-je dire à une femme à ce point stupide ? J'avais huit ans quand j'ai compris qu'elle était une imbécile. J'en avais douze quand j'ai su que mon père était un sale type.

Très gênée à l'idée d'être écoutée par le sale type en question, je m'efforçai de dévier de sujet :

71

— Avez-vous des amis ?

— À Bruxelles ? Je suis là depuis deux mois.

— Cela peut suffire.

— Manifestement, ça n'a pas suffi dans mon cas.

— Auparavant, aviez-vous des amis ?

Il haussa les épaules.

— Je l'ai cru. Quand on voit qu'après deux mois de séparation il ne reste quasi rien d'une amitié qui avait duré dix ans, il est permis d'en douter. Bref, je suis seul. C'est aussi pour cela que je tiens à notre lien. Mais peut-on l'appeler amitié ?

— Sans doute ne faut-il pas chercher à le nommer, estimai-je plus prudent de répondre.

— Nous avons eu un devoir sur *Le Rouge et le Noir*. J'ai eu la meilleure note, 19/20. Sous couleur d'une bête question, nous devions dire ce que nous avions pensé de ce livre. Je me suis rappelé la théorie que vous aviez dite, selon laquelle tout roman est soit une iliade soit une odyssée. J'ai expliqué que le bouquin de Stendhal était une odyssée : Julien, c'était Ulysse, madame de Rénal, c'était Pénélope, Mathilde, c'était Circé, etc.

— Bravo !

— Tout cela vient de vous. Sans vous, il y avait zéro risque que j'aie cette note.

— Vous avez été capable d'attraper et de tirer parti de ce que je vous ai dit. Ne diminuez pas vos mérites. Vous êtes quelqu'un de très intelligent.

Touché, il se tut et baissa la tête.

— Mon père aussi m'a dit que j'étais intelligent. Il a ajouté que cela ne me servirait à rien.

— Il voulait sûrement dire qu'il ne fallait pas avoir une conception utilitariste de l'intelligence.

— Croyez-vous ? Ça ne lui ressemble pas, une opinion pareille.

J'étais au supplice d'être obligée de défendre un salaud sous prétexte qu'il nous entendait.

— Nous allons devoir lire Kafka : *La Métamorphose*, dit-il.

J'évitai de déclarer combien j'aimais ce livre et je pris congé.

— La leçon vient à peine de commencer, protesta-t-il.

— Personne ne vous a empêché de me rejoindre à l'heure, répondis-je.

Il fallut évidemment que Grégoire Roussaire m'intercepte.

— Je vous félicite, surtout pour la fin. Ces jeunes sont incapables d'être à l'heure.

— Je suis jeune et je suis ponctuelle.

— Oui. Mais vous…

Combien de fois avais-je entendu cela à mon sujet ? Que ce soit dans la bouche de mes parents ou de mes camarades. « Oui, mais toi… » Je n'ai jamais exigé d'éclaircissements sur ce commentaire d'une désagréable ambivalence.

— Je suis désolé que mon épouse vous ait mis le grappin dessus.

— Cela aussi, vous l'avez espionné ? De qui aviez-vous peur, en l'occurrence ?

— J'étais sidéré. C'était tellement imprévu.

— Non. Il est naturel que je rencontre aussi la mère de mon élève.

— Reconnaissez qu'elle est particulière, dit-il en me donnant mon salaire.

— C'est l'hôpital qui se moque de la charité.

Je me surpris à attendre le lendemain avec impatience. Je ne cessais d'imaginer les réactions de Pie à la lecture de *La Métamorphose*. À quinze ans, je l'avais découverte avec extase.

« Chaque adolescence est une version de ce texte », pensai-je. Me vinrent à l'esprit de nombreux contre-exemples. J'avais connu des garçons et des filles qui avaient vécu leur adolescence avec panache : beaux, solaires, ils étaient la négation de l'âge ingrat.

À la réflexion, leur cas ne voulait rien dire : il s'agissait seulement d'une fatalité statistique. Ils m'évoquaient ces survivants de la bataille de la Somme. La puberté relevait du casse-pipe, du darwinisme exagéré. C'était sans doute une erreur de l'évolution, au même titre que l'inflammabilité de l'appendice.

Quand je tentais d'expliquer mon propre cas, une voix intérieure tranchait : « Cesse de croire que tu as survécu. Qu'y a-t-il de commun entre l'enfant merveilleuse et la jeune fille sinistre que tu es devenue ? » Et encore : comparée à Pie, je me sentais tellement privilégiée. J'avais de bons parents, ni pervers ni débiles. Ma croissance n'avait pas traversé de drames. Ma tragédie n'avait été que l'expérience commune : aux alentours de treize ans, en une seconde, cela s'était produit. Tout à coup, dans ma tête, l'enchantement s'était rompu.

Je me rappelle avoir essayé de restaurer la magie et y avoir renoncé au bout de quelques minutes : « Ça ne sert à rien, ce ne peut plus être que de la simulation. » J'avais vécu un charme de près de treize années qu'il avait suffi de moins que rien pour dissiper. C'était irrattrapable.

Aussi, lire à quinze ans *La Métamorphose* fut une révélation. Se réveiller un matin à l'état de blatte géante : oui, c'était exactement cela. Dans les autres romans, les adolescences étaient autant d'impostures : on ne mentionnait que les survivants de la bataille de la Somme. Avant Kafka, personne n'avait osé dire que la puberté c'était le carnage.

Il me semblait que l'adolescence de Pie était un cauchemar : je ne pouvais pas la comparer à la mienne, nous n'avions rien à voir l'un avec l'autre, mais il se reconnaîtrait forcément en Samsa.

Donate était folle de curiosité à l'égard de la famille Roussaire. Quand je lui dis que j'avais rencontré madame mère, elle me questionna sans relâche : à chacune de mes réponses, elle hurla de rire. Je me retins de lui sortir la tirade sur l'hôpital et la charité, et pourtant cela s'imposait.

— J'ai eu le tort de lire d'abord la quatrième de couverture. De savoir que le narrateur s'appelait Grégoire, j'ai failli renoncer. Je suis à ce point allergique à mon père que la simple occurrence de son prénom me donne de l'urticaire.

— C'est Gregor et non Grégoire.

— Dans mon édition, ils ont traduit le prénom aussi, donc c'est Grégoire. Bref, j'ai quand même lu le livre d'une traite : on ne peut pas procéder autrement.

— Je suis d'accord.

— Il n'y a pas plus vrai que ce texte. Je n'arrêtais pas de me dire : « C'est ça, c'est exactement ça. » Est-ce que chacun réagit de cette manière ?

— Chacun, je ne sais pas. Pour ma part, j'ai réagi comme vous.

— Même une fille ?

— Bien sûr, dis-je en riant.

— Ne le prenez pas mal. La seule femme que je connaisse, c'est ma mère. Rassurez-vous, je ne l'ai jamais crue représentative de son sexe.

— L'adolescence des filles est différente de celle des garçons, mais elle est au moins aussi violente, sinon plus.

— Pourquoi me dites-vous ça ?

— Parce que vous venez de lire *La Métamorphose*.

— Et alors ? Ce n'est pas un livre sur l'adolescence.

— Ah bon ?

— C'est un livre sur le sort réservé à l'individu aujourd'hui. Votre interprétation est beaucoup trop optimiste. En être réduit à se terrer comme une vermine blessée, à la merci du premier prédateur venu, c'est-à-dire de presque tout le monde, ce n'est pas réservé aux adolescents.

— Qu'en savez-vous, Pie ?

— Qu'en savez-vous, Ange ? À dix-neuf ans, on est encore dans l'adolescence.

— Je me considère comme adulte depuis mes dix-huit ans.

— Pensez-vous que les autres vous voient comme ça ?

— Ma décision me suffit.

— Vous êtes drôle. Et alors, à présent que vous êtes adulte, vous avez l'impression d'aller mieux ?

— Nous ne sommes pas là pour parler de moi.

— Oui, ça vous arrange, ce faux-fuyant. Je suis sûr que vous vous sentez aussi mal qu'il y a trois ans.

— Je suis vivante.

— C'est une bonne réponse à ma question d'il y a une minute. Vous avez choisi la vie. Je ne suis pas certain de vous imiter. Non, je ne suis pas en train de jouer les suicidaires. Pourquoi recourir à cet héroïsme inutile ? Dans trois ans, je ne serai pas un brillant étudiant capable de donner des cours de quoi que ce soit à un morveux de mon espèce.

— Vous n'en savez rien.

— Arrêtez cette comédie, s'il vous plaît. C'est énervant.

— Qui vous dit qu'à seize ans je n'allais pas affreusement mal ?

— Vous êtes hors sujet. Ce que j'admire, dans *La Métamorphose*, c'est que la malédiction qui frappe Grégoire n'est pas censée être transitoire. Personne ne lui dit que « ça va s'arranger ». Et en effet, ça ne s'arrange pas.

— Dans son cas.

81

— Donc, dans le vôtre, ça s'est arrangé ?

— Encore une fois, il n'est pas ici question de moi.

— C'est facile de se défiler comme ça. Kafka a écrit ce livre en 1915, pendant l'horrible guerre qui marque le début du vingtième siècle. Voici le sort réservé aux êtres vivants désormais : ce qui vit est perçu comme un grouillement auquel il faut mettre un terme. Le vingtième siècle marque le commencement du suicide planétaire.

— Vous n'y allez pas un peu fort, là ?

— Je ne trouve pas. Vous vous occupez de moi et je vous en sais gré, vous m'apportez beaucoup. Il n'empêche qu'à mes yeux, le cas, c'est vous et non moi.

— Vous avez l'intention de me guérir ?

— Surtout pas. Votre maladie vous est salutaire. Si vous n'étiez pas à ce point dans l'illusion, vous ne seriez pas si intéressante.

Je souris.

— J'ai lu que Kafka était en conflit ouvert avec son père, reprit-il. C'est aussi pour ça, je crois, qu'on a vu en lui le porte-parole de l'adolescence.

— Me voici qualifiée de « on ».

Pie ignora ma remarque et continua :

— Le rejet du père n'est pas réservé à l'adolescence. Ce que je hais chez mon père, ce n'est pas sa paternité, c'est le sort qu'il me propose : à partir du vingtième siècle, l'héritage que nous laisse la génération précédente, c'est la mort. Même pas la mort instantanée : il s'agit de traîner une longue angoisse de cancrelat blessé avant d'être écrasé.

— Si votre père veut cela pour vous, pourquoi m'a-t-il engagée ?

— Par bêtise.

— Vous avez réponse à tout, dis-je en riant.

— C'est mal ?

— Cela montre vos limites. Un raisonnement infalsifiable devient autovalidant. Clos sur lui-même, ce qui est la définition de l'idiotie.

— Je suis un idiot ?

— Au sens de Dostoïevski, oui.

— Je veux bien.

— Parfait. Vous allez lire *L'Idiot*.

— Quoi ? Kafka, c'est déjà fini ?

— La preuve que non : nous commençons Dostoïevski.

— Ce n'est pas au programme du lycée.

— Nous n'en sommes plus là.

— Mais je n'ai même pas encore réussi à vous faire changer d'avis sur *La Métamorphose*.

— Vous avez admirablement parlé de Kafka, votre opinion est passionnée, c'est tout ce qui m'importe.

Je me levai.

— Vous partez déjà ? La leçon commence à peine.

— Êtes-vous sûr que cela se calcule en durée ?

— Si vous avez envie de partir, je préfère ne pas vous retenir. Mais cela me désole que vous en ayez envie. Vous n'aimez pas qu'on ne soit pas d'accord avec vous, n'est-ce pas ?

— Rien à voir. Une fois pour toutes, Pie, la littérature n'est pas l'art de mettre les gens d'accord. Quand j'entends des lecteurs dire « J'adhère à *Madame Bovary* », je soupire de désespoir.

— Je n'ai rien dit d'aussi bête et pourtant vous partez. Avant, dites-moi pourquoi Kafka haïssait son père.

— Vous pouvez obtenir cette réponse facilement, ne serait-ce qu'en lisant son œuvre.

— J'aimerais que vous me le disiez.

— Son père était un *pater familias* autoritaire, mesquin, imbu de ses pauvres privilèges de père.

— S'était-il particulièrement mal conduit envers lui ?

— Non. Quand on hait quelqu'un, tout acte devient insupportable. Kafka mentionne avec une rancune exceptionnelle qu'à table, seul son père avait le droit de laper le vinaigre. Cette vexation, en soi bénigne, prend sous sa plume la valeur d'un crime.

— Est-ce que vous haïssez votre père ?

— Non. Je l'aime bien.

— Et votre mère ?

— Je l'aime profondément.

— Je ne peux pas imaginer ce que c'est d'aimer ses parents.

— Quand vous étiez très petit, vous avez peut-être aimé votre mère.

— Oui. Je l'ai aimée jusqu'à ce que je comprenne sa stupidité. Maman était obsédée par la peur que je sois constipé. Oui, pardon pour les détails. Bref, quand j'avais six ans, elle voulait que, chaque jour, j'inscrive sur une ardoise A si j'avais fait, B dans le cas contraire. Je lui ai dit qu'il suffisait que je marque A ou rien. Comme elle ne comprenait pas, j'ai dit : « Il y a autant de différence entre zéro et un qu'entre un et deux. » Elle a répondu : « Mon pauvre chéri, en calcul, tu es encore plus mauvais que moi. »

— C'était un motif de déception. Avez-vous vraiment cessé de l'aimer pour cela ?

— Difficile d'aimer quelqu'un qu'on méprise.

Il me sembla qu'il fallait partir à ce moment. Pie n'essaya plus de me retenir. Il paraissait honteux.

Quand le père m'intercepta en s'excusant des confidences auxquelles j'avais eu droit, je dis que son fils avait besoin d'une aide psychologique.

— Il n'est pas malade ! s'insurgea-t-il.

— Non. Il est en détresse.

« On le serait pour moins que cela », pensai-je.

— Cela ne vous regarde pas, mademoiselle. Je ne lui répéterai pas vos paroles : il vous en voudrait.

— Vous attendez-vous à ce que je vous remercie ? dis-je en prenant l'enveloppe de mon salaire.

— J'ai l'impression d'être son psy. Ça ne me va pas.

— Refuse et laisse tomber.

— Si je n'y vais plus, qui ira ?

— Personne n'est irremplaçable.

Donate avait raison et elle savait que je le savais.

— Depuis que tu t'occupes de lui, tu t'es rapprochée de moi, ajouta-t-elle. Comme si tu avais besoin de parler à quelqu'un d'équilibré.

« Équilibrée, elle ? » Je ne répondis rien, parce que sur le fond, elle disait vrai : je m'étais rapprochée d'elle. Et de cela, j'éprouvais de la contrariété. Il fallait que je réagisse : que j'aie d'autres relations. Hélas, à l'université, j'étais toujours aussi invisible.

Au cours, le jour suivant, le professeur de mythologies comparées demanda aux étudiants l'étymologie du nom Dionysos.

— Deux fois né ? suggérai-je.

Un type dont j'ignorais qu'il me détestait gueula dans l'amphi :

— Quelle conne ! Mais quelle conne !

Le reste des étudiants hurla de rire. Mes joues blêmirent. Quand le silence se rétablit, le professeur dit calmement :

— Ce n'était pas la bonne réponse et pourtant, c'était intéressant. Dionysos signifie né de Zeus.

En vérité, j'avais eu tort de me croire invisible. Je ne l'étais pas puisqu'on me haïssait. Du moins, ce garçon qui avait vociféré contre moi me haïssait. Il s'appelait Régis Warmus, c'était une grande gueule. Je ne lui avais jamais adressé la parole et réciproquement. Quant aux autres étudiants, peut-être, en effet, ne m'avaient-ils pas vue jusqu'ici, mais désormais, ils suivraient la voix de leur maître.

Warmus était le séducteur de la classe. Persuadé de sa beauté, il dégageait une assurance phénoménale. Il tombait les hommes comme les femmes, sans que j'aie su jusqu'où il allait avec les uns et les autres. Le professeur de théorie de la tragédie était fou amoureux de lui, ainsi que la plupart des filles de philologie. Je n'ai d'ailleurs jamais compris pourquoi il avait choisi cette section : dévoré d'ambition, il voulait devenir réalisateur à Hollywood.

À la fin du cours, je demeurai assise jusqu'à ce que tous les étudiants soient sortis, de manière à ne croiser personne. Quand l'amphi fut vide, je m'en allai. J'eus la surprise désagréable de constater que le professeur de mythologies comparées m'attendait. Il m'invita à aller boire un verre. Trop stupéfaite pour savoir comment réagir, j'acceptai.

Par bonheur, il m'emmena dans un café extérieur à l'université, où l'on ne rencontrait aucune tête connue. Je commandai un thé et lui un *Irish Coffee*.

— Eh bien, Ange, on vous déteste ? commença-t-il.

— Je l'ignorais. Je m'en suis rendu compte en même temps que vous.

— Non. Je le savais depuis longtemps.

— Comment ça ?

— J'ai toujours observé que vous étiez seule dans votre coin.

— Ça ne signifiait pas qu'on me détestait.

— Manifestement si. Pourquoi ?

— Je n'en ai aucune idée.

— Peut-être parce que vous n'allez pas vers les autres.

— C'est faux. Combien de fois ai-je essayé de sympathiser avec tel ou telle !

— À votre avis, pourquoi cela n'a-t-il pas marché ?

— Je n'en sais rien. Jusqu'à présent, je me croyais simplement invisible. Vu le comportement de Régis Warmus, j'ai compris que je ne l'étais pas.

— N'est-ce pas mieux ainsi ?

— Non. Je préférais l'invisibilité.

— Moi, je vous ai d'emblée remarquée.

Je n'eus pas la sottise de lui en demander la raison. Quand il comprit que je ne lui poserais pas cette question, il continua :

— Vous ressemblez aux jeunes filles des films d'Éric Rohmer.

C'était la première fois qu'un vieux me faisait la cour, j'éprouvais de la gêne.

— Vous n'avez vu aucun de ses films, n'est-ce pas ? Il avait le talent de choisir des jeunes actrices atypiques, inactuelles, très gracieuses.

Mes joues se mirent à cuire. Je me serais giflée. J'aurais volontiers giflé le professeur aussi.

— Vous vous appelez Ange : c'est ravissant et cela vous sied. Vos parents ont pris un risque : donner un tel prénom à une fille qui se serait révélée vilaine, cela l'aurait enfoncée. Dans votre cas, cela souligne votre joliesse.

Quand je parlais à Pie, je disais « cela ». Quand j'étais dans le rôle de l'élève, je disais et pensais « ça ». « Cela » relevait donc du langage professoral. C'est tout ce que je fus capable de penser.

— Pourquoi vos parents vous ont-ils appelée comme cela ?

— C'est mieux que Marie-Ange.

Décontenancé par ma réponse, il finit par éclater de rire et puis il récapitula :

— Ils vous ont appelée Ange parce que c'est mieux que Marie-Ange ? Est-ce réellement ce qu'ils vous ont dit ?

— Non. Ils voulaient un prénom épicène.

— Cela n'explique rien. Il y a beaucoup de prénoms épicènes. Je sais de quoi je parle, je m'appelle Dominique.

Ça y est, il me disait son prénom. Si j'avais eu des amis, j'aurais su que ce professeur n'avait pas une réputation de dragueur. Il me semblait être tombée dans un piège. Cette journée était un cauchemar. Est-ce pour ça que soudain, je dis ces paroles suicidaires :

— C'est déloyal de draguer une étudiante. On ne peut pas se dérober, on a trop peur d'une mauvaise note. C'est pire

91

encore de draguer une étudiante qui vient de subir une humiliation publique : c'est la prendre en état de faiblesse.

— Pourquoi dites-vous cela ?

— Parce que je le pense.

— En ce cas, vous avez raison. Cela me permet de vous dire à quel point vous vous trompez. Je ne vous drague pas.

— Vous appelez ça comment ?

— Je suis amoureux de vous.

C'était la première fois que quelqu'un m'adressait une telle déclaration.

— C'est nul de dire ça à une étudiante.

— Sauf si c'est vrai.

— Vous devez avoir beaucoup d'expérience dans ce domaine.

— Je n'en ai aucune. Cela se sent, non ? Je suis ridicule.

— Ce qui est ridicule, c'est de prétendre aimer quelqu'un qu'on ne connaît pas.

— Il est exact que je ne vous connais pas. Mais je vous ai tellement observée depuis septembre que je sais à votre sujet deux ou trois choses qui me touchent.

— Comme, par exemple, le fait que je sois traitée de conne en plein cours ?

— Cela, je l'ai découvert en même temps que vous, cela m'a indigné mais m'a aussi permis de vous aborder.

— Vous avez quel âge ?

— Cinquante ans.

— Vous êtes certainement plus vieux que mon père. Écoutez, je vais y aller, ça m'a suffi pour aujourd'hui.

— Vous me promettez d'y réfléchir ?

— Réfléchir à quoi ?

— À nous.

J'ouvris des yeux ronds.

— Vous vous attendez à ce que votre déclaration ait une suite ?

Je me levai et sortis. Dans la rue, je pensai à Pie. Donate ne trouvait pas aberrant que je sois amoureuse de lui. Pourtant, je savais qu'il n'en était rien. Comment me le prouver ?

Je revins sur mes pas. Le professeur de mythologies comparées était resté assis. Prostré, il ne savait pas que je le voyais. Il tenait sa tête dans ses mains, l'air honteux. Comment avait-il dit qu'il s'appelait ?

— Dominique ?

Il sursauta et me regarda avec une peur qui ne me déplut pas. Je m'approchai de lui et, sans m'asseoir, je posai un baiser sur ses lèvres.

— Pourquoi ?

— Vous m'avez demandé de réfléchir. J'ai réfléchi.

— Vous réfléchissez vite.

Je souris.

— C'est la première fois que je vous vois sourire. Vous êtes belle.

— On y va ?

— Où donc ?

— Je ne sais pas. Ne restons pas ici.

Mes propres manières m'étonnaient.

— On pourrait aller chez vous. Mais votre femme vous attend, dis-je, impitoyable.

— Je suis divorcé, je vis seul.

— Vous avez des enfants ?

— Non. Et vous ?

La question m'amusa.

— Non. Cela dit, j'ai un élève que je dois rejoindre.

— Un élève de quoi ?

Je lui expliquai brièvement.

— Quel âge a-t-il ?

— Seize ans.

Je lus de l'inquiétude dans son regard.

— Quand vous reverrai-je ?

— Demain soir, proposai-je.

Il me fixa rendez-vous. Je sautai dans le tram et je vis le professeur regarder dans ma direction jusqu'à ce que le tramway disparaisse.

— Vous êtes bizarre aujourd'hui, remarqua Pie.

— Vous êtes bizarre tous les jours.

— Au moins le suis-je chaque jour de la même façon.

— Nous ne sommes pas ici pour parler de moi.

— Hier, j'ai fait quelque chose d'incroyable. J'ai lu un livre de ma propre initiative.

— Bravo ! Racontez-moi.

— *Le Diable au corps* de Raymond Radiguet.

— Vous avez choisi un chef-d'œuvre en plus. Je suis fière de vous.

— C'est l'histoire d'un garçon de seize ans qui couche avec une fille de dix-neuf.

— Je suis au courant. Est-ce que cela vous a plu ?

— Beaucoup. J'aime cette façon d'écrire l'amour, sans mièvrerie.

95

— Vous avez raison.

— Et puis, c'est un peu notre histoire. Ils ont notre âge.

— En dehors de cela, nous ne leur ressemblons pas.

— En effet, nous ne couchons pas ensemble. Est-ce que vous couchez avec quelqu'un ?

— Je ne réponds pas à ce genre de question.

— Moi, je n'ai jamais couché avec personne.

— C'est parce que vous venez de lire *Le Diable au corps* que vous ne pensez qu'à cela ?

— Je pense à ça chaque jour et chaque nuit.

— À votre âge, c'est normal.

— Cessez de prendre vos grands airs. Vous aussi, vous y pensez.

— Cette conversation commençait bien, vous aviez lu *Le Diable au corps*. Là, cela dégénère.

— Je ne trouve pas. Un roman qui donne envie de parler de sexe, c'est formidable.

— À mon avis, vous ne devriez pas vous contenter d'en parler.

— D'accord. On va dans ma chambre ? Après tout, vous êtes mon professeur. Apprenez-moi.

— Je suis votre professeur de littérature.

— Apprenez-moi littérairement.

Je ris.

— N'y a-t-il pas des filles, dans votre lycée ?

— Vous les verriez !

— Allons, ouvrez les yeux. Certaines sont charmantes, j'en suis sûre.

— Je n'ai pas envie d'un prix de consolation.

— Bon. Je pense que nous avons besoin d'une sortie. Vous vous intéressez aux zeppelins. Et si nous allions au musée de l'Air ?

— Il y a un zeppelin au musée de l'Air dans la capitale d'un si petit pays que le vôtre ? Je vais voir sur Internet.

— Non. Allons voir en vrai !

Je me levai. Embêté, le jeune homme me suivit. Je jubilai à l'idée de la tête que le père devait tirer depuis son poste d'observation.

— C'est loin d'ici ?

— C'est dans le parc du Cinquantenaire. Nous allons prendre le tram.

Visiblement, Pie n'était jamais monté dans un tramway. Il avait l'air aussi effrayé que si j'avais accepté sa proposition sexuelle. Je payai sa place.

— Comment allez-vous au lycée, chaque jour ?

— Le chauffeur de mon père me conduit dans la Ferrari.

Je m'assis à côté de lui. Il regardait par la fenêtre avec méfiance.

— Bruxelles est une jolie ville, dis-je. Curieusement, elle a besoin d'un très beau temps pour que ça se voie.

— Pourquoi dites-vous ça ?

— Parce que presque toutes ses maisons sont à double exposition. Quand il fait soleil, la lumière passe au travers des habitations. Alors, Bruxelles est comme bâtie de rayons.

— Avez-vous voyagé ?

— Pas beaucoup. Moins que vous.

— Je n'ai pas voyagé. J'ai été souvent déplacé dans des lieux que je n'ai jamais connus.

— Raison de plus pour que vous découvriez Bruxelles.

Au terme de plusieurs correspondances, nous débarquâmes au parc du Cinquantenaire. Pie parut sidéré du gigantisme des constructions. Au musée de l'Air, je demandai s'il y avait des zeppelins. On m'indiqua qu'il y avait deux nacelles.

Très fière, j'annonçai cela au garçon qui haussa les épaules.

— C'est comme si je voulais voir une Rolls-Royce et que vous me disiez : « Ils ont deux habitacles ! »

— C'est mieux que rien.

— Et puis, c'est le musée de l'Armée et non le musée de l'Air.

— Cela devrait vous faire plaisir. Vous vous passionnez pour l'armée.

Les nacelles m'impressionnèrent. Elles étaient remarquablement bien conçues, comme des boîtes à musique.

— Qu'est-ce que vous diriez si vous pouviez voir les zeppelins en entier ? maugréa Pie.

Malgré ses airs blasés, je le vis contempler les nacelles avec émotion. Je l'imaginai aux commandes de l'une d'elles : il dut y penser aussi, parce qu'il se laissa gagner par l'enthousiasme et se renfrogna quand la sonnerie de la fermeture retentit.

J'en conclus qu'il avait aimé la visite. Nous sautâmes dans le tram pour rentrer chez lui.

— Vous êtes différente aujourd'hui.

— C'est parce que vous me voyez à l'extérieur pour la première fois.

— Non. Vous étiez différente dès votre arrivée.

Je ne commentai pas.

Le lendemain, Grégoire Roussaire m'intercepta d'entrée de jeu. Dans son bureau, il ne m'invita pas à m'asseoir.

— Pouvez-vous m'expliquer ce qui s'est passé hier ?

— Il n'y a rien à expliquer. Votre fils et moi, nous sommes allés au musée.

— Je ne vous paie pas pour montrer des zeppelins à mon fils.

— Je sais. Pour ce qui est de la littérature, admirez ma réussite : Pie lit désormais des chefs-d'œuvre de sa propre initiative. Vous n'avez plus besoin de moi, je vous rends mon tablier.

— Non ! Vous savez combien vous êtes indispensable à Pie.

— Pas du tout.

— Vous êtes la seule fille bien qu'il ait rencontrée de sa vie.

— Arrêtez, je croirais l'entendre.

— Ce que je vous demande, c'est de ne pas quitter le séjour pendant les leçons.

— Ce que vous ne supportez pas, c'est que j'aie dérobé votre fils à votre surveillance pendant deux heures, hier. Comment faites-vous quand il est au lycée ?

— Rien à voir. Vous me croyez né de la dernière pluie ? Vous emmenez mon fils en tram – un tramway nommé désir – pour aller au musée de l'Air vous envoyer en l'air, c'est pour lui apprendre l'usage de la métaphore ou de l'analogie ?

— Vous êtes un grand malade. Je ne peux pas rester dans cette maison.

Il advint qu'à cet instant Pie entra dans le bureau.

— Il me semblait bien avoir entendu votre voix.

— De quel droit entres-tu ici sans frapper ?

— J'arrive, Pie. Votre père me donnait mon salaire, dis-je en tendant ma main vers Roussaire qui, stupéfait, me remit l'enveloppe habituelle.

Je m'assis dans le canapé et respirai un grand coup pour me calmer.

— Est-ce que je rêve ou est-ce que mon père vous engueulait ?

— Il n'a pas apprécié notre sortie d'hier.

— Quel imbécile ! C'est quoi son problème ?

— C'est un homme qui veut avoir tout sous son contrôle.

— Vous l'avez senti ? Bravo, c'est exactement ça. C'est pour cette raison qu'il a épousé une idiote. Ma mère est très facile à contrôler.

— Et vous, non.

— En effet. Mon père brûle de savoir ce que j'ai dans la tête. Ça le rend fou de l'ignorer.

— Gardez vos secrets, Pie. Ne me les dites pas.

— Mais à vous, j'aimerais les confier.

La situation devenait insupportable. Je songeai à lui glisser un billet pour lui signaler que nous étions sur écoute. Hélas, comment procéder ? Le père voyait mes moindres gestes. Du reste, ce ne serait pas un cadeau de lui révéler à quel point son père était une ordure. Il fallait que je change de conversation le plus vite possible.

— Avez-vous déjà songé à écrire ?

— Écrire quoi ?

— Des poèmes, un journal.

— Je suis pas une fille.

J'éclatai de rire.

— Un roman ?

— Pourquoi j'écrirais un roman ?

— Pour vous confier.

— Mon père le lirait en cachette. Il fouille ma chambre et mon ordinateur. Mon unique intimité, c'est avec vous.

— Pourquoi votre père se conduit-il de cette manière ? Pense-t-il que vous prenez de la drogue ?

— Il devrait savoir que non. J'ai horreur de ça. Les types du lycée fument ou sniffent, ça les rend tellement crétins. Non, mon père ne supporte ni qu'on lui résiste, ni qu'on ait des secrets. Comme hier, vous êtes différente, continua-t-il. Il vous arrive quelque chose. Vous avez le droit, je comprends. Mais vous allez vous éloigner de moi.

— Je ne vais pas m'éloigner de vous.

— J'aimerais être vous. En soi, être une fille ne me tente pas. C'est le reste qui m'attire : vous êtes libre, intéressante. Ce doit être chouette d'être vous.

— C'est la première fois qu'on me dit une chose pareille.

— Il y a sans doute des gens qui voudraient être moi. Ils ont tort. Je suis un prisonnier. Et j'ai la haine.

— Que pourriez-vous faire pour que cela change ?

— Quand je suis avec vous, c'est bien. Et aussi quand je lis.

— Lisez davantage !

— Et comment faire pour vous voir plus ?

— Vous me voyez déjà beaucoup.

— Hier, j'ai aimé notre sortie.

— Nous pouvons visiter d'autres musées.

— J'avais pensé plutôt à des promenades dans la forêt.

— Je ne suis pas votre coach sportif, Pie.

Il soupira.

— Ouais. Je ne peux pas vous obliger, si vous ne voulez pas.

Le propos était énigmatique, je décidai de ne pas l'éclaircir.

— Vous avez aimé *Le Diable au corps*. Et si vous lisiez l'autre roman de Radiguet, *Le Bal du comte d'Orgel* ?

— Oui. J'ai vu qu'il était dans la bibliothèque du premier. Suivez-moi.

Enchantée d'échapper à la surveillance du père, je suivis le garçon à l'étage. Il m'introduisit dans une pièce dévolue aux livres : les ouvrages étaient admirablement rangés sur des rayonnages calibrés.

— Quel trésor ! m'écriai-je.

Il y avait là tous les auteurs les plus prestigieux du monde entier.

— Qui est à l'origine de cette bibliothèque ?

— C'est mon père.

J'étais sur le point de penser que j'avais mal jugé cet homme quand l'adolescent reprit :

— Le gag, c'est qu'il n'a lu aucun des livres qui sont là.

— Comment est-ce possible ?

Pie eut un rire grinçant.

— Si vous le connaissiez mieux, vous sauriez que pour lui, c'est un fonctionnement normal. Il dit qu'il n'a pas le temps de lire. Mais il a le temps d'accumuler les livres et de les faire choisir par des connaisseurs. Quand j'étais petit, je pensais que mon père était un homme très occupé. Un jour, il y a trois ans, je me suis caché sous son bureau pour l'espionner. Il ne fiche rien ! Il regarde parfois son écran d'ordinateur, il tapote sur le clavier, il appelle quelqu'un pour dire : « OK, c'est raccord. » Il tourne les pages du *Wall Street Journal*. Et puis c'est tout. Il reste dans son bureau pendant des heures et il appelle ça travailler.

— C'est sans doute une occupation qui nous échappe.

— Ce qui m'échappe, c'est ce qu'il veut de moi, un clone de son espèce ? Dans ce cas, pourquoi a-t-il fait appel à vous ? En quoi ce travail, comme il dit, l'empêche-t-il de lire, par exemple ?

— Il faut avoir la tête à cela.

— Il n'a la tête à rien !

— En ce cas, pourquoi constituer cette bibliothèque et la transporter ?

— Pour épater la galerie.

— Quelle galerie ?

— Les invités. Il y en a peu mais parfois, mes parents reçoivent. D'où la somptueuse maison. Mon père et ma mère n'en ont rien à faire de ce qu'ils nomment pompeusement leur « art de vivre », les beaux meubles, les livres, la belle vaisselle, les repas raffinés. Mais ils tiennent à ce que les invités soient impressionnés. Quand ils ne reçoivent pas, ils mangent n'importe quoi et passent leurs journées et leurs soirées dans le néant.

— Ils regardent la télé ?

— Ils sont vautrés devant le téléviseur allumé. On ne peut pas dire qu'ils le regardent.

— Mais il y a bien des moments que vous partagez, vos parents et vous ?

— Mon père et ma mère ne s'adressent presque pas la parole.

— Et vous ?

— Je reste dans ma chambre.

— Vous ne dînez pas en leur compagnie ?

— Non. Heureusement. Les rares fois où ça m'est arrivé, c'était horrible. Je ne parvenais pas à avaler. Mon père méprise ma mère et, elle, elle ne s'en rend pas compte. C'est affreux de les voir ensemble.

— Quand ils reçoivent, rencontrez-vous les invités ?

— Non. Je ne suis pas fréquentable. Je n'ai pas le comportement qu'il faut. Je suis sarcastique. Je dis la vérité. De toute manière, ce que ces gens ont à se raconter, c'est du flan. Ils ne s'intéressent absolument pas les uns aux autres, et on les comprend.

— Pourquoi reçoivent-ils ?

— Pour plastronner. Sans avoir conscience qu'ils n'impressionnent qu'eux-mêmes. C'est pathétique.

À cet instant, Grégoire Roussaire entra et feignit la surprise :

— Vous êtes là ?

— Comme vous voyez, répondis-je.

— Que faites-vous ici ?

— J'enseigne la littérature à votre fils. La bibliothèque n'est pas le lieu le plus absurde pour cela.

Il s'en alla, laissant la porte ouverte.

— Il nous surveille, on dirait, soupira
Pie.

Il prit *Le Bal du comte d'Orgel*.

J'arrivai au rendez-vous à l'heure juste. Le professeur m'attendait, très ému, et ne chercha pas à le cacher.

— J'avais peur que vous ne veniez pas.

— Pourquoi ne serais-je pas venue ?

— Vous avez sûrement des gens mieux que moi à fréquenter.

— Non. À part vous, je ne vois que mon élève. Je lui ai donné un cours cet après-midi. Et vous, vous fréquentez beaucoup de monde ?

— Personne. Je n'ai pas d'amis.

— Même parmi les autres professeurs ?

— C'est chacun pour soi, vous savez. Ma charge de cours n'est pas importante et je ne suis pas une grande gueule. Pourquoi s'intéresserait-on à moi ?

— Vous avez été marié. Racontez.

— Le parcours classique. J'avais vingt-deux ans, je suis tombé amoureux d'une fille de mon âge. Nous nous sommes épousés. Très vite, ma femme s'est aperçue qu'il y avait des hommes beaucoup plus attirants que moi. Un jour, elle m'a annoncé qu'elle était amoureuse d'un autre. Nous avons divorcé. Nous sommes restés amis.

— Vous n'avez pas essayé de la retenir ?

— Elle était amoureuse de quelqu'un d'autre, je vous le répète.

— Et vous avez vécu d'autres amours ?

— Non.

— Comment est-ce possible ?

— Je ne sais pas quoi vous dire. On ne peut pas se forcer. J'ai besoin d'être amoureux pour avoir le courage de parler à une femme.

— Des étudiantes amoureuses, cela n'a pas dû manquer autour de vous.

— Sûrement. Mais cela ne m'a pas frappé. Vous, je vous ai remarquée très vite. Votre manière d'être seule dans votre monde, d'écouter mon cours très profondément.

— Je devais avoir l'air aussi larguée. C'est ça qui vous a plu.

— Vous n'avez pas l'air larguée. Vous n'appartenez pas au troupeau. Vous ne cherchez pas à ressembler aux autres, ni à prêter allégeance aux meneurs, ni à vous y opposer.

112

— Voilà. J'ai été humiliée en public, vous aimez jouer au sauveur.

— Vous n'avez pas besoin d'être sauvée. C'est vous qui détenez le pouvoir de sauver.

— Vous me prêtez des qualités que je n'ai pas.

— La mythologie, c'est ma spécialité. Vous ressemblez à une jeune Athéna. On vante l'intelligence de cette déesse et on a raison. Mais on oublie toujours de parler de sa beauté. Or Athéna est très belle sur toutes ses effigies.

— Si j'étais à ce point belle, on me l'aurait déjà dit.

— Non. Nous sommes des Nordiques, des gens qui ne disent rien d'aimable. Jules César écrit le plus grand bien de nous dans *De bello gallico*.

— « *Omnium Gallorum fortissimi sunt Belgae.* »

— Il ajoute ce passage moins connu : « Les Belges, grâce à leur proximité avec les Germains, sont restés constamment en guerre. Leur éloignement par rapport aux provinces du Sud les a empêchés de s'amollir au contact des marchands. » Dit comme cela, nous avons l'air d'un peuple de héros, que nous ne sommes pas, pourtant. En réalité, nous sommes des brutes.

Votre condisciple qui vous a injuriée s'est conduit comme tel. Vous et moi, nous sommes des êtres délicats, nés dans un peuple de brutes. C'est pour cela que nous sommes des solitaires.

Le serveur vint nous demander ce que nous voulions boire. Le professeur commanda une bouteille de champagne. Devant mon air ahuri, il s'étonna :

— Vous n'aimez pas le champagne ?

— J'adore. Mais avons-nous quelque chose à célébrer ?

— Notre rendez-vous.

— Vous voulez me faire boire ?

— Pour ma part, j'en ai besoin.

— Vous êtes alcoolique ?

— Pas le moins du monde. Je suis timide.

Le serveur installa le seau à glace et déboucha une bouteille de Deutz. Il remplit deux flûtes.

— À nous ! dit le professeur.

C'était mieux que bon.

— Ne serait-ce que pour ce motif, il vaut mieux ne pas avoir vécu à l'époque antique, reprit-il. On buvait mal. Le vin pur était inavalable. Il fallait le mêler à de l'eau et y ajouter des épices pour que ce soit possible. Quant aux fameuses libations, il s'agissait du haut de l'amphore, tout imprégné de l'huile avec laquelle on avait bouché celle-ci : bref, la part de vin que l'on sacrifiait aux dieux devait être infecte.

Ma flûte était déjà vide.

— Vous buvez vite !

— Je le constate.

— Vous buvez toujours ainsi ?

— C'est bien la première fois que quelqu'un commande du champagne pour moi. Je n'ai pas d'habitudes en la matière.

— Parlez-moi de vous, avant d'être ivre.

— Mon père est chef de gare à Marbehan.

— Où ça ?

— Marbehan, une petite localité des Ardennes où il est né. Son rêve était d'être chef de gare à Marbehan. Il a réussi sa vie.

— C'est formidable. Et votre mère ?

— Elle est pédicure.

— À Marbehan ?

— Oui. Elle connaît les pieds de tous les habitants du coin.

— Ont-ils beaucoup de problèmes de pieds ?

— Comme partout. C'est un métier très social : il faut faire la conversation avec les gens qui viennent montrer leurs pieds. Ma mère excelle à cet exercice. Elle enlève des cors et lime la corne en les interrogeant sur leurs enfants et leurs vaches.

— Leurs vaches ?

— Marbehan, c'est la campagne. J'ai grandi dans la nature.

— Il y a une école à Marbehan ?

— Une école primaire, oui, que j'ai fréquentée. Pour les secondaires, je suis allée à Arlon. Je m'y rendais chaque jour en train.

— Vous avez des frères et sœurs ?

— Non. Cela m'a manqué. J'ai toujours été très seule.

— Vous retournez souvent à Marbehan ?

— Rarement. J'aime cette région, la forêt en particulier. Mais deux heures de train, ce n'est pas rien. Et j'apprends à découvrir Bruxelles.

— Vous aimez Bruxelles ?

— Oui. C'est ma première grande ville. Du temps où je quittais chaque matin Marbehan pour l'athénée à Arlon, j'avais l'impression de me rendre à la métropole. Maintenant, je me rends compte qu'Arlon est une toute petite ville.

— L'une des premières cités gallo-romaines.

— C'est exact. Nous a-t-on assez rebattu les oreilles avec ça, en secondaire ! Et vous, d'où venez-vous ?

116

— J'ai toujours habité Bruxelles.

— C'est comment, de grandir ici ?

— Il y a sûrement moyen de s'amuser, mais cela n'a jamais été mon cas. Comme vous, j'ai toujours été solitaire. Je ne m'en plains pas, j'aime la solitude. L'unique raison valable de la quitter, c'est l'amour.

Il reremplit les flûtes. À nouveau, je vidai la mienne en moins de temps qu'il n'en faut pour le dire.

— J'ai l'impression que vous êtes russe !

J'éclatai de rire.

— Ça y est. Je suis grise. J'adore cette sensation.

— Racontez-moi.

— L'esprit du champagne est en moi. Je suis joyeuse et légère.

— Je vais essayer de boire aussi vite que vous.

Il s'exécuta et reremplit les verres.

Quand la bouteille de champagne fut vide, nous sortîmes, bras dessus bras dessous, ivres et légers, je me mis à courir de joie.

— Où allez-vous ?

— Voulez-vous partager mon zeppelin ? Nous contemplerons le monde de l'Olympe. Ne suis-je pas Athéna ?

Nous passâmes devant la boutique d'un chocolatier sur le point de fermer. Je fonçai à l'intériéur.

— J'en veux ! dis-je en montrant les rayons.

Dominique Jeanson acheta un ballotin de chaque variété de chocolats que je pointai.

Au comble de l'excitation, je m'assis sur le premier banc public.

— Vous ne voulez pas aller chez moi ? demanda le professeur.

— Je mettrais des traces de chocolat partout. Mieux vaut manger ici.

— Les gens vont nous voir.

— Quel mal y a-t-il à dévorer des pralines dans la rue ?

Sans plus attendre, je disposai les boîtes entre le professeur et moi et je les ouvris l'une après l'autre.

— Chacun pour soi ! déclarai-je.

J'attaquai. Je mordis dans une Astrid, dont le glacis caramélisé céda sous mes dents, et je soupirai de plaisir. Quand je relevai mes paupières, je vis que Dominique Jeanson m'imitait.

— Je commence toujours par les plus écœurantes, dis-je en croquant dans un Manon.

— J'ai une nièce qui croit que le prénom Manon fait référence à la praline.

— Ce serait génial de donner des noms de chocolats à ses enfants.

De fil en aiguille, nous mangeâmes toutes les pralines. La nuit était tombée.

— Et si on allait chez moi, maintenant ? suggéra Dominique Jeanson.

— À condition que vous ayez des anchois ou des cornichons.

— Des olives vertes ?

— Ça fera l'affaire.

Son appartement me parut modeste. Je savonnai mes doigts recouverts de chocolat et puis je rejoignis le séjour où nous dévorâmes un bol d'olives vertes. Elles me dégrisèrent et je me rendis compte que j'étais seule chez mon professeur de mythologies comparées, assise avec lui dans le canapé.

— Il se passe quoi, là ?

— Ce que vous voulez, Ange.

Je ressentis une fatigue absolue.

— J'ai envie de dormir.

Il m'offrit son lit et se coucha sur son sofa. Je n'eus pas le temps de penser quoi que ce fût : je m'endormis aussitôt.

Au milieu de la nuit, je m'éveillai. Le professeur dormait profondément. Il avait gardé son costume et sa cravate. Je quittai l'appartement sur la pointe des pieds. En trois quarts d'heure de marche, je fus chez moi. Je terminai la nuit dans mon lit.

L'après-midi, je me rendis chez les Roussaire. Pie me regarda avec consternation.

— Vous êtes encore plus bizarre qu'hier.

— C'est la cantine qui se moque du
réfectoire.

— Vous parlez belge ? Je ne comprends
pas.

— C'est de l'excellent français. Enfin,
peut-être pas excellent, mais français.

— Je me demande s'il est sensé de me
faire apprendre cette langue par une Belge.

— Je vous arrête. Les meilleurs gram-
mairiens de cette langue, comme vous
dites, sont belges. Donc oui, il est très
sensé d'avoir une Belge comme professeur. J'ajouterais qu'on ne m'a pas engagée
pour vous apprendre le français mais pour
guérir votre dyslexie, et que j'y suis arrivée
du premier coup. Alors, je trouve que je
suis bien gentille de rester. Ma mission

est accomplie et vous êtes de plus en plus désagréable.

— Je suis si désagréable que ça ?

— Sur une échelle de deux à sept vous êtes à six.

— Ça va, j'ai encore de la marge.

J'éclatai de rire.

— *Le Bal du comte d'Orgel*, donc.

— J'ai détesté. Je peux pas croire que vous aimiez ce bouquin. Vous faites semblant pour me piéger.

— Pardon ?

— Je ne tombe pas dans votre piège. Il ne me suffit pas d'un mot de vous pour vous croire. Vous détestez ce roman.

— Qu'est-ce qui vous prend ?

— Ce livre est chiant, c'est juste n'importe quoi. Rien à voir avec *Le Diable au corps*.

— Là, je suis d'accord. Pour tout le reste, désolée, mais je suis amoureuse de ce livre. C'est le diamant noir de la littérature. Sur le triangle classique du mari, de la femme et de l'amant, on n'a jamais rien écrit de plus beau, de plus délicat, de plus civilisé.

— Vous dites ça pour me ridiculiser.

— Non. Vous avez le droit de ne pas aimer ce roman.

— J'ai vraiment cru que vous me mettiez à l'épreuve.

— Pourquoi ferais-je cela ?

— Pour me prouver que je ne suis pas digne de vous.

— Pie, au secours ! Sortez de ce délire. Vous n'avez pas à être digne de moi.

— C'est pire, si c'est ce que vous pensez. Ça signifie que vous ne m'avez jamais envisagé comme amoureux.

— En effet.

— C'est à cause de mon âge ?

— Rien à voir.

— C'est à cause de quoi ?

— J'aime ailleurs.

Il se décomposa.

— Qui ?

— Je n'ai pas à vous le dire.

— Pourquoi ne me l'avez-vous pas avoué plus tôt ?

— Cela ne vous regarde pas.

— Si. Vous savez que je suis amoureux de vous.

— Vous ne l'êtes pas. Vous êtes un garçon fragile et solitaire, la première venue vous semble séduisante, voilà tout.

— Vous me méprisez à ce point ?

— J'ai beaucoup d'estime pour vous. Je ne suis pas amoureuse de vous et cela ne risque pas de changer.

— Est-ce que mon père est votre amant ?

— Non. Qu'est-ce qui ne va pas, aujourd'hui, Pie ?

— Je sens qu'il y a un vieux dans votre vie.

— Il y a d'autres vieux que votre père.

— Donc, vous reconnaissez qu'il s'agit d'un vieux ?

— Plus vieux que vous, oui.

— Est-ce que je suis François de Séryeuse ?

— Vous trouvez que vous lui ressemblez ?

— Qu'est-ce qui cloche chez moi, Ange ? Pourquoi je vais si mal ?

— Vous avez besoin de sortir de cette maison, voilà tout. De voir des amis, d'aller à des soirées.

— Je n'ai pas d'amis.

— C'est de la paresse. Il est impossible qu'il n'y ait personne de sympathique dans votre lycée.

— Voulez-vous être mon amie ?

— Si je comprends bien, vous m'avez choisie comme bouche-trou pour tous les domaines de votre vie. Parlez-moi plutôt du *Bal du comte d'Orgel*.

— J'aime pas comment c'est écrit. Ça fait vieux.

— Radiguet avait dix-neuf ans quand il l'a créé.

— *Le Diable au corps*, c'est jeune, et c'est mieux.

— *L'Iliade*, que vous avez tant aimée, diriez-vous que c'est jeune ?

— Ni jeune ni vieux. C'est bizarre.

— Eh bien voilà. *Le Bal du comte d'Orgel*, c'est d'une préciosité bizarre. Cocteau et Radiguet venaient de relire avec admiration *La Princesse de Clèves* et avaient décidé, chacun de son côté, d'en donner leur version, comme deux peintres débutants s'exerceraient en recopiant *La Joconde*. Cela a donné deux chefs-d'œuvre : d'une part *Thomas l'imposteur*, de l'autre *Le Bal du comte d'Orgel*.

— Je m'en fiche, j'ai pas lu *La Princesse de Clèves*.

— Vous allez donc le lire. C'est mon roman préféré.

— Du coup, si j'aime pas, vous allez me détester ?

Quand Grégoire Roussaire sortit de son bureau pour me payer, il me regardait d'un air aussi étrange que son fils. Cette maison de fous m'indisposait de plus en plus.

Allais-je tomber amoureuse de mon professeur de mythologies comparées ? Le simple fait que j'aie à me poser cette question prouvait que j'en étais incapable. Mais je l'aimais bien.

Les liaisons que j'avais connues étaient des échanges rapides et sordides : avoir affaire à quelqu'un de prévenant et de gentil relevait de l'agréable nouveauté.

— Je veux que personne ne sache, pour vous et moi, lui dis-je.

— Évidemment. Je comprends.

Il comprenait tout. Nous avions fini par coucher ensemble ; je n'en crevais pas d'envie, mais ce fut mieux que prévu.

— Je n'avais plus fait l'amour depuis vingt ans. J'étais redevenu puceau, avoua-t-il.

Il irradiait de bonheur.

Il fallut une semaine à Pie pour me rappeler, enfin, pour que son père me rappelle.

— Une nuit pour lire *L'Iliade*, une semaine pour lire *La Princesse de Clèves*, déclarai-je en guise de préambule. Expliquez-moi.

— C'est compliqué. Il y a beaucoup de personnages.

— Infiniment moins que dans *L'Iliade*.

— Ce n'est pas un livre de guerre.

— Vous trouvez ? Un homme assiège une femme imprenable.

— Je n'ai pas dit que je n'avais pas aimé. Ce qui me dépasse, c'est que ce soit votre roman préféré. Pourquoi ?

— On n'a jamais rien écrit de plus beau, ni de plus délicat. La tension amoureuse entre les personnages est palpable. Chaque fois que je le relis, j'en ressors électrisée.

— Parce que en plus vous le relisez ?

— Pourquoi me priverais-je d'un tel plaisir ?

— Je n'en suis pas encore au stade où lire est un plaisir. Alors, relire, vous pensez ! Ce qui me désespère, c'est que nous ayons si peu de points communs.

— Est-ce que c'est important ?

— Oui. Vous ne voudrez jamais de mon amitié.

— Pour vous, une amie, c'est une personne qui vous ressemble ?

— Pas forcément. Mais si on n'a pas de points communs…

— Nous en avons plus que vous ne le pensez. Cela dit, même sans aucun point commun, on peut être vraiment amis.

— Ah bon ?

— Il y a une histoire à ce sujet. Cézanne avait un ami que tout le monde trouvait nul, sans intérêt. Un jour qu'il n'était pas là, son entourage questionna Cézanne : comment pouvait-il éprouver de l'amitié pour ce type ? Poussé dans ses derniers retranchements, Cézanne finit par répondre : « Il choisit bien les olives. »

— Je n'y connais rien en olives.

— Vous êtes loin d'être nul et sans intérêt, Pie. J'ai de l'amitié pour vous. Mais je ne suis pas votre copine et je suis supposée vous enseigner des choses.

— Apprenez-moi à vivre. J'en ai tellement besoin.

— Vous me mettez la pression. Moi, personne ne m'a appris.

— Vous voyez bien que je ne suis pas doué.

— Je ne suis même pas sûre d'être vraiment vivante.

— Moi, je suis sûr que vous l'êtes. Quand vous arrivez ici, c'est comme si la vie débarquait. Lorsque vous partez, tout s'éteint.

Accablée par une telle déclaration, j'annonçai que nous allions sortir.

— Quand ?

— Immédiatement. Prenez une veste.

Il ne fallait pas laisser à son père le temps de réagir.

Une fois dans la rue, Pie me demanda où nous allions.

— À la Foire du Midi. Vous fréquentez trop les beaux quartiers.

— Vous allez souvent à la Foire ?

— Bien évidemment, mentis-je.

— Je pense ne jamais y être allé.

— Le « je pense » est de trop. Ça se voit que vous n'y êtes jamais allé.

Le tram nous conduisit à la Foire du Midi, où régnait l'atmosphère des grands jours. L'air sentait la friture et les haleines

129

chargées. J'entraînai le garçon vers les autos tamponneuses, au stand de tir puis au palais de l'horreur. Il gardait une expression effarée de Martien sur le qui-vive.

— Lâchez-vous, Pie ! On est à la foire.

— Pourquoi les gens viennent-ils ici ?

— Pour s'amuser.

— Est-ce que c'est amusant ?

— Vous voulez que je vous apprenne à vivre. Ne pouvez-vous pas montrer un peu de bonne volonté ?

Je lui payai une gaufre de Liège brûlante qu'il mangea avec appétit.

— Ça, j'adore.

— Un bon point pour vous, dis-je.

— Je vous offre une bière ?

— D'accord.

Ce n'était que de la Jupiler, mais elle produisit son effet. Pie se détendit, enfin. Nous allâmes au stand des trampolines où il sauta en rigolant comme un gosse. Il ne s'arrêta que pour vomir.

— C'est bien, le félicitai-je. Si on ne vomit pas à la foire, c'est qu'on ne s'est pas vraiment amusé.

— Les Belges sont des barbares !

— Oui. Vous aviez besoin de ça. Vous n'avez pas fréquenté assez de barbares.

— J'ai honte que vous m'ayez vu vomir.

— Ça crée des liens.

— Je constate que vous ne dites plus *cela*.

— Dire *cela* à la Foire du Midi, c'est punissable d'une peine de prison.

— Et vous, vous ne vomissez pas ?

J'avisai un engin qui propulsait les passagers en une sarabande de loopings.

— Donnez-moi cinq minutes, dis-je.

Je montai dans le prochain convoi. Quand j'en descendis, je courus vomir près de Pie qui applaudit. J'étais fière.

— Vous n'êtes pas une chochotte, déclara le garçon avec estime.

Nous prîmes le tram pour rentrer. En chemin, j'eus un fou rire :

— Cette leçon était censée être consacrée à *La Princesse de Clèves*.

— Oui. Et la princesse et Nemours sont allés dégueuler à la foire.

Sa distribution des rôles me dessaoula d'un coup.

Les représailles ne se firent pas attendre.

— Je ne vous paie pas pour emmener mon fils à la foire.

— Très bien. Licenciez-moi.

— Si vous laissez tomber Pie, il ne s'en remettra jamais. Vous le savez.

— Vous êtes un père abominable.

— Votre opinion sur ce sujet m'indiffère.

Quand je rejoignis l'adolescent, j'avais l'air en colère.

— Il vous a engueulée, vous aussi ?

— Ne parlons pas de cela.

— Vous savez, là, j'ai lu beaucoup plus que ce qui est au programme du lycée.

— J'ose espérer que votre but n'est pas de vous conformer à ce programme.

— Non. Il n'empêche que je dois réussir ma première.

— Vous la réussirez haut la main.

— Ce n'est pas certain. Les professeurs me détestent.

— Pourquoi ?

— Il paraît que je suis méprisant.

— L'êtes-vous ?

— Je ne les estime pas, ces profs.

— Ce n'est pas une raison pour être méprisant. Soyez poli, c'est tout ce qu'on vous demande.

— Même si je changeais d'attitude, je resterais étiqueté méprisant.

— Essayez, vous verrez.

— C'est décourageant.

— C'est vous qui êtes décourageant, Pie. Quoi que je propose, vous m'envoyez paître.

— J'ai beaucoup de mal à avoir envie de vivre.

— C'est cela, donnez-vous en objet à plaindre, maintenant.

— Ne me plaignez pas. Pourquoi aurais-je envie de vivre ? C'est une vraie question.

— Il y a tellement de choses formidables.

— Vous savez bien que non. À supposer que je réussisse le lycée, je serais inscrit à des études chiantes afin de devenir un type aussi nul que mon père.

— Choisissez autre chose. Devenez aventurier.

— Ce n'est plus possible.

— Mais si, c'est possible.

— Alors, à quoi bon finir le lycée ?

— Cela ne nuit pas. Par exemple, avoir lu de très beaux livres, c'est une excellente préparation à l'aventure.

— Vous, vous ne vivez pas d'aventures, et vous êtes contente.

— J'aime ce que j'étudie et j'aime découvrir Bruxelles. C'est mon aventure à moi.

— Je suis amoureux de vous.

— Arrêtez. Vous dites cela parce que vous vous ennuyez.

— Je ne m'ennuie jamais avec vous.

— Je vous répète que je ne suis pas amoureuse de vous et que je ne le serai pas.

— C'est normal que vous disiez ça. Vous êtes la princesse de Clèves et je suis Nemours.

— Je ne suis pas cette princesse et vous n'êtes pas Nemours. J'ai de l'amitié pour vous, Pie. Faites en sorte de ne pas la perdre.

— Vous me menacez ?

— Je vous mets en garde. C'est différent.

— Grâce à vous, j'ai l'impression de vivre à l'époque de madame de La Fayette. Je vous verrais bien avec une fraise.

— C'est une mode dont je raffole. Et vous, je vous verrais bien dans une veste avec des manches bouffantes à crevés.

— Des crevés ? Comme des pneus crevés ?

— Rien à voir. Les crevés, ce sont les plis creux dont regorgeaient les riches vêtements de cette cour. Aujourd'hui, quand les habits ont des plis creux, c'est sans aucun intérêt. À l'époque, à l'intérieur des plis creux, on dissimulait des étoffes somptueuses. C'était un détail d'un raffinement exquis.

— Il y a des plis creux dans ce roman aussi.

— Bien vu. Il y a de sublimes crevés narratifs, comme l'épisode de la lettre rédigée ensemble par Nemours et la princesse. Vous voyez que vous l'avez aimé, ce roman.

— Je ne peux pas réellement aimer une histoire qui me rappelle à ce point la mienne.

— Je vous le répète, nous n'avons rien à voir avec ces personnages. Écoutez-vous de la musique, parfois ?

— Ça m'arrive.

— Qu'écoutez-vous ?

— Vous voulez que je vous fasse écouter ? Venez dans ma chambre.

Découvrir la chambre de quelqu'un est toujours intrusif. Celle de Pie était peu caractéristique, comme celle d'un adolescent à peine installé. Il avait respecté les motifs Art déco de l'hôtel de maître. Les murs étaient nus, le mobilier sobre ne déparait en rien l'élégance originelle de la demeure.

Bonne pioche : la musique, elle, était forcément la sienne. Il mit Skrillex à plein régime.

— *Ease My Mind*. J'adore cette chanson.

— Vous la connaissez ?

— Pour qui me prenez-vous ?

— Et ça, vous connaissez ?

Des sons de la plus profonde étrangeté remplirent la pièce.

— Qu'est-ce que c'est ?

— *Liquid Smoke* d'Infected Mushroom.

— C'est magnifique. Je ne connaissais pas ce groupe.

— Je vais tout vous faire écouter.

— Impossible. Votre père va me sonner les cloches. Bon, je vous rappelle que vous m'avez promis de vous faire des amis au lycée, c'est une mission !

Quand Grégoire Roussaire me tendit mon salaire, je le sentis sur le point de me mordre.

Le soir même, je demandai à Dominique quelle musique il écoutait. Il mit
l'Opus 53 de Chopin, interprété par
Arthur Rubinstein.

— C'est *L'Héroïque* ! m'exclamai-je.

— Oui. Ma polonaise préférée.

Je ne connaissais que l'interprétation de
Martha Argerich : combien magnifique.
Mais celle de Rubinstein était encore plus
bouleversante.

Les deux hommes que je fréquentais
avaient les meilleurs goûts musicaux du
monde.

— Votre mission donc.

Pie soupira et commença :

— J'avais repéré un type de ma classe qui avait l'air aussi paumé que moi. À l'intercours, je l'ai abordé. « Salut, Yann. — Qu'est-ce que tu me veux ? — Rien. Faire connaissance. — T'es malade ? — Non. Je voudrais savoir qui tu es. — Dégage ! » L'intercours suivant, j'ai essayé avec une fille qui était dans le même cas. J'ai eu droit à : « Ton plan drague est trop naze. »

— Vous n'avez peut-être pas bien choisi les candidats.

— Je suis censé continuer l'exercice ?

— Oui. Deux tentatives, c'est peu.

— J'ai l'impression d'aller au casse-pipe.

— Vous ne risquez rien.

— C'est vraiment parce que vous me le demandez.

— Pie, vous crevez de solitude.

— C'est vrai. Mais le remède est pire que le mal.

— Vous n'avez simplement pas encore trouvé le remède qui vous convient.

— Si : vous.

J'ignorai cette énième déclaration.

— Cela fait longtemps que vous ne m'avez plus parlé de votre passion pour les armes.

— Je ne vois pas ce que je pourrais vous en dire. Je n'en possède aucune.

— Encore heureux.

— Si j'en avais une, je m'en servirais.

— C'est bien ce que je disais. Qu'avez-vous fait de votre tempérament non violent ?

— Honnêtement, j'ai de plus en plus de mal.

— N'auriez-vous pas besoin de sport ?

— J'ai horreur de ça.

— Vous n'avez pas de vie physique, vous n'avez pas de vie amicale ni sociale, comment voulez-vous que cela se passe bien ?

— Je n'ai pas de vie, voilà la vérité. Je crains que ce ne soit héréditaire. J'observe mes parents : ils n'ont pas de vie. Les gens de ma classe non plus… Franchement, vous êtes l'unique personne de mon entourage qui ait une vie. Enseignez-moi.

— Je ne peux pas vous enseigner le désir. On a une vie quand on le désire.

— La vie que je désire, c'est vous.

— Je ne vous désire pas. Point final.

— Pourquoi est-ce que je ne parviens pas à vous croire ?

— Parce que vous êtes prétentieux. Ou alors parce que vous êtes érotomane, ce qui est pire. Dans les deux cas, sachez que si vous m'en parlez à nouveau, je démissionne.

— Comment vais-je m'en sortir ?

— C'est plus facile que vous ne le croyez.

— Vous avez déjà été amoureuse de qui ne vous aimait pas ?

— Bien sûr.

— Que s'est-il passé ?

— J'ai lâché l'affaire.

— Comme ça ?

— Non. J'ai souffert un bon coup et puis je suis allée voir ailleurs.

— Vous êtes une barbare belge, une brute. Je suis trop délicat.

— Cela s'appelle de la complaisance. Moi, je pense que lorsqu'on écoute Infected Mushroom à plein régime, on n'est pas si délicat. Et c'est un compliment.

— J'aurais dû être musicien.

— Il n'est pas trop tard. Vous avez le meilleur âge pour vous mettre à la guitare ou à la batterie.

— Je n'ai aucune volonté.

— Vous êtes désespérant, Pie. Donnez-vous les moyens d'arriver à quelque chose. Ayez une vie avant la mort. Bougez-vous !

— Qu'est-ce qui m'en empêche ?

— Rien. Arrêtez de vous regarder le nombril.

— J'ai envie d'aller me promener dans la forêt. On y va ?

— Excellente idée.

Nous partîmes aussitôt. La forêt de Soignes était à côté. Elle nous accueillit entre ses hêtres de haute futaie et ses senteurs de feuilles mortes.

— J'habite ici depuis des mois et ni mes parents ni moi ne sommes jamais venus dans cette forêt.

— Bravo d'avoir pris cette initiative !

— Pourquoi mon père a-t-il choisi une maison si bien située s'il ne jouit d'aucun de ses avantages ?

— Votre père a choisi le quartier pour sa réputation et non pour ses qualités objectives, j'imagine. Cette forêt est l'une des plus belles d'Europe.

— Vous pourriez me donner votre leçon quotidienne en vous promenant dans la forêt avec moi.

— Je vous laisse négocier cela avec votre père.

— À votre avis, est-ce qu'il sera d'accord ?

— Pourquoi pas ?

Je lui indiquai le chemin pour sortir du parc et arriver au cœur de la grande forêt.

— Ici, c'est encore plus beau, remarqua-t-il.

— Oui. Vous n'avez aucune excuse pour vous encroûter chez vous.

Le père nous ouvrit la porte à notre retour. Je lui dis, feignant de ne pas m'apercevoir de son expression furieuse :

— La leçon portait sur Rousseau, *Les Rêveries du promeneur solitaire*. Une promenade s'imposait.

— Pas très solitaire, cette promenade, répondit Grégoire Roussaire d'un ton rageur.

— Je ne vois pas comment enseigner sans être là.

Il me tendit mon salaire comme il aurait braqué un pistolet sur moi.

Nous dînions dans la cuisine, chacune de nous ayant fait mijoter son propre plat selon les préceptes de ma colocataire pour limiter bactéries et virus.

Donate me demanda pourquoi je n'écoutais pas un mot de sa conversation. Je lui expliquai.

— Il n'acceptera jamais, dit-elle.

— Encore faut-il qu'il trouve un prétexte pour refuser.

— Il trouvera.

— Pie est coriace. Il va insister.

— Dans quel guêpier t'es-tu fourrée ?

— Je ne pouvais pas l'abandonner, cet adolescent.

— Comment ça se passe, avec ton vieil amoureux ?

— Tu es au courant ?

— Il appelle chaque jour, j'ai entendu sa voix, ce n'est pas un perdreau de l'année.

Et moi qui redoutais que tu tombes amoureuse du gamin !

Cet échange me mit de mauvaise humeur. La nuit, pendant mon insomnie, je dus reconnaître que Pie m'attirait plus que Dominique. Je n'étais pas amoureuse de Dominique. Je n'étais pas amoureuse de Pie, mais il me plaisait. Plus que Dominique.

N'y avait-il pas d'autres hommes que ces deux-là ? Sûrement. Mais je ne les avais pas rencontrés. Ce n'était pas faute d'avoir essayé. Ma vie était ainsi faite que les deux hommes qui existaient pour moi avaient seize et cinquante ans. Si au moins j'étais le genre de fille attirée par les adolescents ou par les vieux ! Non, la vérité est que je n'avais d'attirance pour aucune tranche d'âge en particulier. Ceci expliquait probablement cela.

Je n'étais pas de celles qui imaginent des princes charmants en dressant des portraits-robots. Pour m'émouvoir, il fallait une personne réelle.

Pie, une personne réelle ? Oui, de justesse. Réel, Pie l'était encore. À ce régime, dans deux années, il aurait rejoint ses parents, il aurait quitté le réel pour devenir l'un de ces êtres postiches, un trader de capitaux inconcevables ou une collectionneuse de porcelaines virtuelles. Ce garçon était conscient du drame qu'il vivait, il m'appelait à l'aide. Pour lui, tomber amoureux de moi, c'était supplier le réel de s'intéresser à lui.

Et Dominique ? Je l'aimais bien. Il m'occupait très peu. Il appartenait à cette frange de la réalité dont on se réjouit qu'elle existe, comme le paysage. C'est sur cette considération que je m'endormis.

À l'heure de la leçon, ce fut Pie qui m'ouvrit la porte de la belle demeure. Je lui trouvai l'air bizarre. Par ailleurs, bizarre, il l'était toujours.

— Comment s'est passée la négociation avec votre père ?

— Mal.

— Je m'en doutais.

— Non.

— Comment cela, non ?

Il me conduisit dans le bureau de son père. Celui-ci gisait au sol, égorgé. Il y avait du sang partout.

Je sortis dans la rue et vomis. Il me rejoignit. Nous nous assîmes ensemble sur les marches qui montaient vers la maison. Pie parla calmement :

— J'étais avec lui dans son bureau, lui répétant que je voulais me promener avec vous. Il s'obstinait à refuser, sans me regarder. À un moment, j'ai vu que le miroir de la pièce était sans tain. Il nous observait pendant les leçons, ce salaud. Alors, j'ai saisi les ciseaux, je me suis jeté sur lui et je lui ai tranché la gorge.

— Il faut appeler la police, balbutiai-je.

— Non.

— Cela se plaide, Pie. Votre père était un homme abominable.

— Oui. Mais pas ma mère. Et je l'ai tuée aussi.

— Quoi ?

— Dans son intérêt. Elle n'aurait pas supporté de voir son mari et surtout son parquet dans cet état. Je suis allé dans la pièce où elle contemple ses collections sur Internet. Elle était en pâmoison devant son écran, à s'esbaudir devant des tasses minuscules. Elle ne m'a pas entendu venir par-derrière. Je lui ai tranché la gorge avec les mêmes ciseaux.

Je demeurai abasourdie.

— Je n'ai pas honte. Si c'était à refaire, je le referais. Je ne sais pas pourquoi j'ai attendu si longtemps.

— Vous êtes mineur. Vous aurez droit à un traitement spécial.

— Je vais m'enfuir. Je n'ai eu qu'à me connecter sur le site de la banque de mon père pour que le navigateur me propose de remplir le login et son mot de passe, j'ai viré la totalité de son compte sur le mien. Vous n'imaginez pas combien je suis riche. Partez avec moi, Ange. Nous aurons la vie de nos rêves, nous voyagerons partout. Nous ne serons pas assez bêtes pour avoir un domicile. Nous habiterons les palaces du monde entier.

— Pie, ce n'est pas réel, ce que vous proposez. À cause de vos parents, vous avez toujours souffert d'un défaut de réalité. Votre double crime en est l'expression.

— C'est vrai. J'ai tué des gens qui n'étaient pas réels. Il n'y a rien de mal à ça.

— Aux yeux de la loi, ce n'est pas si simple. Appelez la police, je vous en conjure. Ce serait l'occasion unique d'entrer dans le réel.

— Je n'ai aucune envie d'aller en prison.

— Je témoignerai de ce que vos parents vous faisaient subir. Vous ne serez pas acquitté, mais vous aurez une peine légère, j'en suis sûre.

— Je l'aggraverais. Je ne plaiderais pas le coup de folie. Je n'ai pas agi sous l'emprise de la démence. La seule chose que je ne comprends pas, c'est pourquoi je ne les ai pas tués beaucoup plus tôt. Sans doute fallait-il un minimum de force physique pour y arriver.

— Vous ne pouvez pas nier que c'est la colère qui a motivé votre passage à l'acte.

— Cette colère est en moi depuis si longtemps. Le miroir sans tain, c'est l'étincelle qui a mis le feu aux stocks de fureur qui stagnaient en moi depuis au moins dix ans.

— On n'a pas envie de tuer ses parents à six ans.

— Parlez pour vous. Moi, je me rappelle très bien la première fois que j'ai voulu le faire. C'était aux îles Caïmans, nous étions installés sur la terrasse d'un somptueux restaurant. À la table voisine, dînaient de riches connaissances. Au moment de payer, les restaurateurs ont constaté que ces riches amis étaient interdits bancaires et les ont jetés dehors. Il se trouve que j'aimais bien ces gens, qui avaient un fils de mon âge. J'ai suggéré à mon père de régler l'addition pour eux. Il a éclaté de rire avec mépris. Plus tard, j'ai demandé à ma mère une explication. Elle a dit : « Voyons, mon chéri, on ne peut pas prendre toute la misère du monde sur ses épaules. — Toute la misère, non, mais celle de Gustave », ai-je insisté. Ma mère a dit que Gustave était innocent certes, mais que ses parents avaient été malhonnêtes et méritaient une punition. Par la suite, j'ai compris que les parents de Gustave n'avaient pas été plus malhonnêtes que les miens. Seulement moins habiles. Depuis ce temps, j'ai souhaité contribuer à la mort violente de mes parents.

Je me tus, accablée.

— Bref, je n'ai pas l'intention de me rendre.

— Partez donc.

— Vous ne m'accompagnez pas ?

— Non.

— Pourquoi ?

— La vie que vous me proposez ne m'inspire pas.

— Et vous n'êtes pas amoureuse de moi.

— Je vous aime beaucoup.

Il soupira.

— Rassurez-vous, je n'avais pas espéré que mon parricide change vos dispositions à mon égard. Mais vous allez me manquer.

— Vous aussi, vous me manquerez.

Ma déclaration le toucha au point que ses yeux brillèrent. L'espace de quelques instants, il fut beau. Son acte l'avait débarrassé des scories d'une puberté gauche. Je souris.

— Je vais m'en aller, Pie.

— Ange…

— Oui ?

— Vous m'avez changé. Grâce à vous, je suis un lecteur. Toute ma vie, je lirai de grands livres. Et je n'oublierai jamais qui m'en a donné le goût.

Je n'osai pas lui dire que sans son père, nous ne nous serions pas rencontrés. Je lui serrai la main et partis sans me retourner.

Donate n'était pas là, pour mon soulagement. Je m'effondrai en pleurs.

Outre mon chagrin à l'idée de ne plus voir Pie, j'éprouvais une culpabilité aussi profonde qu'absurde. Je n'avais pas empêché un innocent de devenir un assassin. Sans doute était-il orgueilleusement idiot de ma part de supposer que j'en aurais eu le pouvoir.

Comme l'avait bien résumé Pie, mon impact sur lui avait consisté à le transformer en lecteur de grande littérature. Celle-ci était tout sauf l'école de l'innocuité. Eschyle, Sophocle, Shakespeare, pour ne citer qu'eux, auraient ordonné à un jeune homme de qualité de liquider des ordures pareilles.

Si je ne lui avais pas fourni l'arme du crime, je lui en avais apporté l'armature littéraire. Tout grand texte contient une expiation et des meurtres. Ce n'était pas mon intention mais je savais de quoi était pavé l'Enfer.

On ne retrouva pas la trace de Pie. La police diffusa un communiqué : on avait vu l'adolescent assis sur le perron, le lendemain du crime, avec une fille de son âge qui avait fait un malaise. On demanda à cette jeune fille de se faire connaître.

— Ce ne serait pas toi, par hasard ? interrogea Donate.

— Non. Je suis bien trop âgée.

La jeunesse est un talent, il faut du temps pour l'acquérir. Bien des années plus tard, je suis enfin devenue jeune. Le double crime de Pie me l'avait enseigné.

Le Livre de Poche s'engage pour
l'environnement en réduisant
l'empreinte carbone de ses livres.
Celle de cet exemplaire est de :
150 g éq. CO_2
Rendez-vous sur
www.livredepoche-durable.fr

PAPIER À BASE DE
FIBRES CERTIFIÉES

Composition réalisée par PCA

———————————

Achevé d'imprimer en décembre 2021, en France sur Presse Offset par
Maury Imprimeur – 45330 Malesherbes
N° d'imprimeur : 258944
Dépôt légal 1re publication : janvier 2022
LIBRAIRIE GÉNÉRALE FRANÇAISE – 21, rue du Montparnasse – 75298 Paris Cedex 06

85/7513/3